i Tajny Klub Superdziewczyn

Akcje w wakacje

Agnieszka Mielech

Ilustracje
Magdalena Babińska

Kto jest kim

Emi
Tata Emi
Mama Emi
Czekolada
babcia
Stanisława
Flora Zwiędły
Laura Zwiędły

Franek
Aniela
Faustyna
Kostek
Hela
Jaś
Małgosia
Malaga

Naszej dzielnej Mamie

Z TAJNEGO DZIENNIKA EMI

Cześć!

To ja, Emi. Piszę do was w moim Tajnym Dzienniku. Mam wam coś ważnego do powiedzenia.

Postanowiłam prowadzić dziennik systematycznie. Mama mówi, że systematyczność to jedna z tajemnic ludzi sukcesu. Wynalazców, pisarzy, podróżników. Bo co by było, gdyby podróżnik, zamiast wyruszać w nieznane miejsca, stwierdził, że mu się nie chce? A gdyby pisarz nie przyłożył się do pisania? Nie powstałaby żadna książka. A pianista? Jeśli nie będzie ćwiczył, może zupełnie zapomnieć, jak się gra.

Podobnie jest z Tajnym Dziennikiem. Jeśli nie będę go uzupełniać, może mi umknąć wiele interesują-

cych zagadek, którymi mógłby się zająć Tajny Klub Superdziewczyn. Na przykład tajemnica skorpiona. Albo tajemnica... nie wiem jeszcze czego, ale coś na pewno się znajdzie.

Systematyczność wcale nie oznacza nudy. Po prostu wybiorę konkretny dzień i godzinę na uzupełnianie dziennika. Jeśli mi się uda, to znaczy, że dałam radę.

Takie mam postanowienie.

Dzisiaj opiszę ostatnią przygodę Tajnego Klubu Superdziewczyn. Bardzo artystyczną. Przeżyliśmy ją w teatrze. Weszliśmy za kulisy i o mały włos nie zamknięto nas w magazynie kostiumów!

Na szczęście wszystko dobrze się skończyło, a my, dziewczyny z Tajnego Klubu, pomogłyśmy uratować arcyważną premierę. No i honor pewnego reżysera. Poznałyśmy też uroczego Luciano z Mediolanu i jego milutką szczurzycę Lilę, którą mogłybyśmy nawet przyjąć do Klubu.

Ferie zimowe spędziłyśmy w górach. Spadło dużo śniegu i było zupełnie biało! Wspaniale jeździło się na nartach. Po prostu bombowo! Szkoda, że ferie trwają tak krótko i trzeba wrócić do szkoły.

Potem przyszła wiosna, a teraz zbliżają się święta Wielkiej Nocy.

To tak w skrócie, bo mama właśnie prosi mnie o pomoc w kuchni. Będziemy piekły wielkanocną babę! Mega!

WIELKANOC, PRÓŻNIA I ZAPROSZENIE DO ŻABIEGO ROGU

Tajny Klub Superdziewczyn był w kropce. Od czasu rozwiązania zagadki (i to międzynarodowej!) zniknięcia kostiumów teatralnych nie pojawiała się inna tajemnica, którą moglibyśmy odkryć.

Flora narzekała już od powrotu z zimowiska.

– Niedobrze – biadoliła. – Mój tata uważa, że życie nie znosi próżni.

Pierwszego dnia przerwy świątecznej przed Wielkanocą Faustyna, Flora, ja i Franek leniuchowaliśmy w moim pokoju. W końcu mieliśmy wolne! Franek przeciągnął się powoli i powiedział:

– Czas, abym wyjaśnił wam, co naprawdę oznacza próżnia.

Przewróciłam oczami. Znowu wykłady?

– Wiesz – zaczęłam niepewnie. – W sumie to chyba wiemy…

Franek przyjął to z entuzjazmem:

– Tak? To super! W Tajnym Klubie jest ktoś poza mną, kto interesuje się fizyką!

„No to pięknie! ” – pomyślałam. „A co, jeśli moja teoria próżni jest, powiedzmy, śmieszna? Nie lubię, kiedy się ze mnie żartuje”.

– Chwileczkę – wtrąciła Faustyna. – Przypomnę tylko, że jeszcze nie przyjęłyśmy cię do Tajnego Klubu Superdziewczyn.

Niezrażony uwagą Fau, Franek kontynuował:

– Dalej! – namawiał mnie. – Powiedz, co wiesz o próżni.

– Hmm. Myślę, że to… to… – jąkałam się. Wreszcie wypaliłam:

– To po prostu miejsce, gdzie niczego nie ma!

Franek zrobił wielkie oczy i wykrztusił:

– O! To bardzo ciekawa teoria. Powiedziałbym – rewolucyjna!

Ale już po chwili zaczął się mądrzyć:

– Bo chodzi o to, że trudno znaleźć miejsce, w którym nie ma nic.

– Jasne – powiedziała Flora. – Jeśli, powiedzmy, miałam paczkę cukierków i zjadłam je, to co mam w torebce? To jakby próżnia, bo w niej już nic nie ma!

Franek zadumał się i powiedział:

– W tej paczce zawsze coś będzie. Choćby gaz!

– Fe! Mówisz o gazach? – skrzywiła się Flora. – Ohyda!

– Chcę wam tylko wyjaśnić, że próżnia w takim… no, tradycyjnym rozumieniu, jest czymś zupełnie innym niż próżnia w fizyce. Próżnia w fizyce to stan o najniższej energii.

Teraz to my wytrzeszczyłyśmy oczy, chociaż wcale nie powinnyśmy się dziwić. Rozmawiałyśmy przecież z synem profesora fizyki.

Na widok naszych zaskoczonych min Franek skapitulował:

– No dobra. Próżnia nie jest niczym konkretnym, to tylko teoria. Zapamiętajcie to, a w czwartej klasie zabłyśniecie na technice.

– Wiesz, mamy teraz przerwę wielkanocną, więc raczej chcemy się rozerwać – oświadczyła Flo.

Faustyna była innego zdania:

– A ja myślę, że to całkiem ciekawe. Moja mama uważa, że musimy przygotować się do czwartej klasy. To zupełnie inna para kaloszy niż nauka w trzeciej.

Flora zrobiła zbolałą minę i poprosiła:

– Pobawmy się. W cokolwiek. Mogą być nawet lalki. Wampirki. Kucyki! Zgoda na wszystko.

W tej chwili rozległo się pukanie do drzwi mojego pokoju i weszła mama.

– Kto chce kręcić wielkanocną babę? Felek właśnie przyniósł jajka!

Zza mamy wychylił się Felek. Trudno było nie rozpoznać jego czerwonych włosów i mordki kotki Fiolki, którą przyciskał do siebie.

– To ja! Co tak knujecie? Mama przysłała mnie ze świeżymi jajkami ze wsi. Nasza babcia przywiozła ich prawie sześćdziesiąt!

– Czyli kopę* – zauważyła mama.

– Chyba kopę lat! – obruszył się Franek.

– Franku, kopa może być miarą. To pięć tuzinów** – uprzejmie wyjaśniła mama. – Ale skoro już mamy świeże jaja, to możemy piec wielkanocne baby.

– To ja już muszę lecieć! – wrzasnął Felek, wcisnął Fiolkę do koszyka i trzasnął drzwiami.

---

* Kopa to używana dawniej jednostka miary, wynosi sześćdziesiąt sztuk.
** Tuzin to dwanaście sztuk.

KLUB

Flora zatkała uszy, a Fau przewróciła oczami. Te chłopaki! Po chwili byliśmy już w kuchni i rozpoczęliśmy przygotowania do pieczenia wielkanocnych bab.

Do ciasta potrzebowaliśmy masła, cukru, jajek i mąki. Najpierw musieliśmy przesiać mąkę. Wsypywaliśmy ją na sitko i potrząsaliśmy nim energicznie. Fajna zabawa! Dzięki niej ciasto będzie bardziej pulchne. Mniam! Potem rozbijaliśmy jajka i oddzielaliśmy żółtka od białek, a to wcale nie jest łatwe! Żółtka musieliśmy utrzeć z masłem i cukrem, a białka ubić na sztywną pianę. Każdy chciał to robić. Wreszcie łączyliśmy przesianą mąkę z masą maślaną i proszkiem do pieczenia. Na koniec dodaliśmy pianę z białek.

– Ciasto na babę gotowe. Dobrze się spisaliście – pochwaliła nas mama.

– U nas w domu baby są trochę brązowe – zauważyła Faustyna.

– Może po prostu są przypalone? – zastanawiała się Flora.

Mama otworzyła szafkę, poszperała w niej i wyjęła kolorową puszkę:

– Słuszna uwaga – powiedziała. – Możemy do części ciasta dodać kakao.

Kiedy wypełniliśmy już formy do pieczenia na przemian masą kakaową i białą, baby powędrowały do piekarnika. Zostało nam trochę ciasta.

– Możecie upiec własne wielkanocne babki – zaproponowała mama.

– Tak! – zawołaliśmy chórem.

Było mnóstwo ubijania, przesiewania i śmiechu. Wtedy nadciągnęła pani Laura.

– Wielkanocne porządki mam już za sobą – wysapała. – A teraz zabieram Florę i Franka. Profesor prosił, żeby Franek się nie spóźniał. Znowu eksperymentują.

Franek podskoczył jak oparzony, krzycząc:

– Zapomniałem! Dzisiaj pracujemy nad żurawiem magnetycznym! *

Flora pobiegła za nim, pokrzykując:

– Sam jesteś żuraw! Uważaj, żebyś się nie zagubił w próżni!

Franek, jak zwykle niezrażony, odkrzyknął:

– Jeszcze się przekonasz, że fizyka jest ciekawa!

---

* *Żuraw magnetyczny* – rodzaj prostej zabawki, która pokazuje wzajemne oddziaływanie magnesu i przewodu z prądem, czyli elektromagnes.

Pani Laura dorzuciła na pożegnanie:

– A! Byłabym zapomniała, jutro na naszej ulicy odbywa się świąteczny jarmark. Będzie malowanie jajek, tkanie na krosnach i degustacja wielkanocnych dań. Przyjedźcie koniecznie!

Aż podskoczyłam z radości:

– Super! Jedziemy na jarmark! Będziemy malować wielkanocne jajka!

Zapowiadało się świetnie.

– O ile tata po powrocie z delegacji zajmie się porządkami w domu – zastrzegła mama.

– Pójdźmy razem z tatą – zaproponowałam. – Sama mówisz, że porządek nie zając i nie ucieknie!

Mama roześmiała się i obiecała, że w takim razie zajmiemy się sprzątaniem po powrocie z jarmarku. Pomyślałam wtedy o stosie klocków Lego, które będę musiała poskładać. Niewesoło…

Następnego dnia mama wzięła wolne. To rzadko się zdarza. Nie dają im wiele wolnego w biznesie.

Już po dziesiątej byliśmy pod domem państwa Zwiędłych. Mama, tata, który wrócił w nocy z placu budowy nowych domów, no i ja. Wzdłuż ulicy ustawione były kolorowe stragany. Z trudem powstrzymałyśmy się z mamą przed rzuceniem się w wir świątecznych zakupów i ruszyliśmy do Zwiędłych.

– Może przynajmniej poczęstują nas kawą, musiałem się zerwać skoro świt – mruczał tata.

Pani Laura, Flora i jej tata przywitali nas w piżamach.

– Jakoś nie mam chęci na wczesne wstawanie w dni wolne od pracy – oświadczył pan Zwiędły i wyciągnął się wygodnie w fotelu.

Tata, niepocieszony tym, że nie może usiąść we własnym fotelu, poprosił o kawę.

– Największą, jaką się da! – zastrzegł.

– Wiadro kawy! – poprawił go pan Zwiędły. – Ja też mam wielką ochotę na kawę.

Za to ja miałam chęć na bieganie wśród straganów, ale czekała mnie niespodzianka.

– Jemy dzisiaj naleśniki z prawdziwym dżemem! – zawołała Flora i zaciągnęła mnie do kuchni, gdzie na stole piętrzyła się góra pachnących placków.

Rzuciłam się po talerz i po chwili obie zajadałyśmy, aż uszy nam się trzęsły.

– Są i wielkanocne naleśniki – oceniła mama, wchodząc do kuchni z panią Laurą.

– Dżem kupiliśmy na jarmarku – broniła się mama Flory. – Naturalny dżem z prawdziwych owoców.

Na dowód wyciągnęła z szafki kilka słoiczków obwiązanych kolorowymi tasiemkami.

– Agrest z pomarańczą. Truskawki z rumem. – Mama oglądała słoiczki i głośno czytała etykiety. – Same rarytasy!

– Ja też chciałabym na Wielkanoc naleśniki. Z truskawkami i rumem! – zawołałam.

Mama pokręciła głową:

– Wielkanocne dania to żurek, biała kiełbasa i, rzecz jasna, jajka.

Nie przepadam ani za żurkiem, ani za kiełbasą, więc odparowałam:

– To ja będę jadła tylko jajka. A przecież to nie jest zdrowe.

Zaraz po spałaszowaniu naleśników wyruszyłyśmy na podbój wielkanocnych straganów. Na każdym z nich można było znaleźć coś ciekawego. Były drewniane ozdoby: zajączki i toczone jajka, urocze kurczaczki i gąski z delikatnych piórek. Były takie śliczne! Gdzie indziej odkryłyśmy konewki i doniczki z młodymi roślinami ozdobione kolorowymi wstążkami oraz pięknie haftowane stroje i ręcznie malowane naczynia.

Najwięcej jednak było jedzenia – chleby i bułki, mnóstwo ciast i ciasteczek, serów i wędlin. Odnalazłyśmy także stragan z dżemami, których próbowałam u państwa Zwiędłych. Zdecydowałyśmy się i na truskawkowy, i na agrestowy. Ileż przysmaków na święta! Wprawdzie tata oświadczył, że dla niego liczą się tylko żurek z białą kiełbasą i mazurki, ale ja mu nie wierzę.

– Tato, sam mówisz, że życie się zmienia – oznajmiłam. – Może teraz wielkanocnym przysmakiem jest dżem!

Poza oglądaniem straganów dużo czasu zajęło nam testowanie krosien, przy których pracowały panie w białych, haftowanych bluzkach i kolorowych, pasiastych spódnicach. Dzisiaj nikt nie nosi takich ubrań na co dzień.

– To tradycyjne stroje ludowe – wyjaśniła mama.

Potem utkała mały dywanik i postanowiła, że położy go w łazience. Ja barwiłam w łupinach cebuli jajka zawinięte w kolorowe szmatki. Wyszły mi najpiękniejsze kraszanki, jakie dotąd zrobiłam.

Wreszcie mama dała znak do odwrotu, bo zbliżało się południe:

– Emi, ściągamy tatę. Pewnie razem z panem Zwiędłym oglądają sport w telewizji. Za kilka godzin

przyjeżdża babcia Stanisława, a my nie przygotowaliśmy nawet koszyczka ze święconką!

Koszyczek ze święconką to ważny symbol świąt Wielkiej Nocy. Trafiają do niego pokarmy, które święcimy w kościele w Wielką Sobotę, a potem dzielimy się nimi w trakcie wielkanocnego śniadania. Ja przygotowałam własny koszyczek. Włożyłam do niego kromkę chleba, małą kiełbaskę (tyle mogę wytrzymać), kawałek wielkanocnej baby i dżem w miseczce.

– Nie widziałam jeszcze dżemu w święconce, ale skoro to dla ciebie ważne – zgodziła się mama i pozwoliła mi dołożyć jeszcze drugi rodzaj dżemu.

Dodałam też baranka z cukru, całość przykryłam serwetką i mogliśmy ruszać do kościoła.

Potem tata pojechał na dworzec kolejowy, aby odebrać babcię.

Ciekawe, jakie dostanę prezenty? Czekałam niecierpliwie i opłaciło się! Babcia przywiozła mi kolorowe pisanki, które zrobiły gospodynie na wsi, i super słodycze. Mama nie była wprawdzie zadowolona, bo na co dzień nie pozwala mi zjadać takich słodkości.

Wielkanoc minęła nam przyjemnie. Chodziliśmy na spacery. Tradycją stały się już spotkania u państwa Zwiędłych. Najbardziej cieszy się z nich mama, bo ma mniej przygotowań i sprzątania w domu! W tym roku też byliśmy na obiedzie u rodziców Flo, tym razem w towarzystwie babci, profesora i Franka.

Tajny Klub Superdziewczyn też miał udane święta – uniknęłyśmy mokrego śmigusa-dyngusa*, jakiego szykował nam Franek.

Na koniec świąt czekała nas prawdziwa niespodzianka.

Babcia zaprosiła nas, to znaczy dzieciaki z Tajnego Klubu Superdziewczyn, na wakacje na wieś. Latem przeprowadza się do domu nad rzeką. Ma też ogród z mnóstwem warzyw i owoców i letni domek.

– Teraz, kiedy już wiem, że Tajny Klub Superdziewczyn to poważna organizacja, muszę zaprosić was

* Śmigus-dyngus – to tradycja polewania się wodą w czasie Wielkanocnego Poniedziałku. Wywodzi się ze starych zwyczajów ludowych.

do Żabiego Rogu. Może jest tam kilka nierozwiązanych zagadek? – powiedziała tajemniczo babcia.

Franek, który przysłuchiwał się naszej rozmowie, chrząknął znacząco.

– Chodzi o to, babciu, że Franek nie jest w naszym klubie – wyjaśniłam.

– No właśnie – przytaknęła Flora. – Przecież nie jest dziewczyną.

Babcia zaproponowała:

– Jeśli tylko pan profesor się zgodzi, Franek będzie mile widziany w Żabim Rogu.

– Hurra! – wrzasnął Franek. Tata na pewno się zgodzi!

– Co będziemy robić w Żabim Rogu? – zapytała Faustyna.

Babcia nie zastanawiała się długo:

– Oprócz zagadek, mam w Żabim Rogu ogród i potrzebuję pomocników do wyrywania chwastów i zbierania owoców. Możecie też pójść do lasu, zbudować szałas nad rzeką. Zrobimy ognisko.

Popatrzyliśmy po sobie. To był świetny plan! Jedziemy w miejsce, w którym mogą być zagadki dla Tajnego Klubu, i w którym czeka nas tyle atrakcji! Szykują się świetne wakacje! Mega!

HURRA! JEDZIEMY NA WAKACJE

Nastał pierwszy dzień wakacji. Prawdziwych wakacji! Kiedy nie idziemy do szkoły, śpimy, ile chcemy, a śniadanie jemy wtedy, kiedy mamy ochotę. Nikt się nie denerwuje, że uciekł nam tramwaj, albo że stoimy w korku, a do dzwonka zostało niewiele czasu.

Już od dwóch dni szykowaliśmy się do wyjazdu do babci na wieś. Będziemy mieszkać w Żabim Rogu w domu nad rzeką. Jedziemy dwoma samochodami. Franek, Aniela i Faustyna przyjadą z profesorem Kagankiem. Flora, jej mama, ja i Czekolada jedziemy z tatą. Znowu przygarnęliśmy psa do siebie, bo ciocia Julia wyjechała na klika tygodni podziwiać fiordy w Norwegii.

Byłam tak podekscytowana wyjazdem, że spakowałam się dwa dni wcześniej. Wszystkie moje rzeczy i przytulanki zmieściły się w jednej walizce.

Wyruszyliśmy z samego rana. Jednak, kiedy dotarliśmy do domu Zwiędłych, napotkaliśmy na pewne trudności.

Zaczęło się zwyczajnie. Zaparkowaliśmy auto na podjeździe i czekaliśmy, aż państwo Zwiędli wyniosą bagaże. Pani Laura zamiast walizek wyniosła kubek kawy i zaprosiła nas uprzejmie na drugie śniadanie.

Tata się skrzywił.

– To pierwsze dni wakacji, Lauro. Na drogach będą korki. Ostatecznie możemy zjeść w jakimś zajeździe.

– Przy drodze!? – oburzyła się pani Laura. – Nie ma mowy! Nie będziemy żywić się w przydrożnych karczmach. Będziemy jeść zdrowo!

Tata już chciał dać za wygraną, ale mama Flo oświadczyła:

– Jeśli tak bardzo nam się spieszy, to ostatecznie możemy zabrać prowiant na drogę.

Tata, zadowolony z takiego obrotu sprawy, pobiegł przygotować miejsce w bagażniku. Ja pobiegłam za nim. Lubię grzebać przy samochodzie! Kiedyś pomagałam tacie zmieniać koło. Minęło kilka minut zanim pojawiły się bagaże pani Laury i Flory.

Najpierw pan Zwiędły z trudem wyniósł różową walizkę wielkości pianina.

Tata z niedowierzaniem uniósł brwi i z wysiłkiem odstawił różowego kolosa na bok.

Potem Flora przyciągnęła kolejną walizkę, nieco tylko mniejszą, oblepioną kolorowymi naklejkami.

– Uff – odetchnął z ulgą tata. – Dwie walizki to pestka. I postawił tę obok dużej różowej.

Energicznie przerzucał coś w bagażniku, a potem spokojnie usiadł za kierownicą, nucąc cichutko.

Coś jakby: „Lato, lato, lato czeka...”

Wtedy pan Zwiędły przytaszczył kufer. Za nim pojawiła się Flora z dwiema dodatkowymi walizkami.

Tata wygramolił się z auta i z markotną miną dorzucił nowe tobołki do sterty bagaży Zwiędłych.

Wreszcie pojawiła się sama pani Laura. Stanęła na szczycie schodów i posłała nam spojrzenie zza okularów przeciwsłonecznych. Na głowie miała wielki biały kapelusz przewiązany błękitną wstążką, na nogach błękitne sandały na niebotycznie wysokich koturnach. Dźwigała kuferek, żółtą torebkę i koszyczek ozdobiony różowymi koralikami.

Na jej widok westchnęłam z obawą. Tata już wcześniej zaznaczył, że prawdopodobnie nie wciśniemy do samochodu wszystkich walizek. Być może nie wciśniemy nawet którejś z nas, czyli Flory albo mnie!

Tata wyszedł z samochodu, oparł się o bagażnik i bez słowa wskazał na piętrzące się bagaże.

– Lauro, to tylko dziesięć dni na wsi. Czy na pewno potrzebujesz tylu walizek, kufra, kuferka i tego... no nie wiem, jak to nazwać? – wskazał koszyczek, który pani Laura przewiesiła przez ramię.

– To koszyczek pełen smakołyków – oburzyła się pani Laura. – Prowiant na podróż.

– Jesteśmy zapakowani po dach. I nie wiem, jak wciśniemy Czekoladę – westchnął tata. Potem spojrzał krytycznie na buty pani Laury i zaproponował:

– I zachęcam cię do zmiany obuwia na wygodniejsze.

Tata rzucił porozumiewawcze spojrzenie panu Zwiędłemu i obaj się uśmiechnęli.

– Coś takiego! Moje buty są bardzo wygodne. I bardzo letnie. – Pani Laura obejrzała je z uwagą i wcale nie zamierzała posłuchać rady taty.

Flora, która jak dotąd grzecznie przyglądała się rozwojowi sytuacji, nagle wzięła rozbieg i z impetem wskoczyła na górę walizek. A ja? Przecież nie zmarnuję takiej okazji! Po chwili wylądowałam obok niej. Za mną wpadła Czekolada, liżąc mnie po buzi. W tej samej chwili walizki zatrzęsły się i rozjechały na wszystkie strony.

Tata pokręcił głową i z pomocą pana Zwiędłego zaczął wciskać bagaże do samochodu.

– Eeee. Zdobyłyśmy szczyt, a teraz musimy się poddać – powiedziała Flo, kiedy wyciągnęli spod nas ostatnią walizkę.

Wreszcie panowie upchnęli rzeczy w bagażniku i zaczęli usadzać nas w samochodzie.

Okazało się jednak, że zabrakło miejsca dla Czekolady.

– Czekolada pojedzie na dachu albo będzie biegła za autem – zażartował tata. – A ponieważ obie propozycje są niewykonalne, Czekolada zostaje u państwa Zwiędłych.

– Ale ja chcę, żeby Czekolada jechała z nami! – marudziłam. Było mi bardzo przykro, że Czekolada zostanie w mieście, a my będziemy hasać nad rzeką.

– Nie ma szans. Za dużo walizek, kuferków i koszyczków – odpowiedział tata, ale po chwili dodał: – Może coś da się zrobić... – Podrapał się w głowę i zaproponował:

– Mogę ją przywieźć za tydzień, jak przyjadę was sprawdzić... o przepraszam, odwiedzić.

BEST
DAD

Odetchnęłam z ulgą, chociaż Czekolada patrzyła na nas smutnymi oczami. Pan Zwiędły był jeszcze bardziej smutny, bo zaplanował sobie na wieczór oglądanie meczów, a będzie musiał wyprowadzać psa. Czekolada chyba domyśliła się, że tata Flory nie jest zadowolony z obrotu sprawy, bo pomerdała ogonem i polizała go po łydce. Lody zostały przełamane.

Wreszcie ruszyliśmy.

– Czy będą filmy? – zapytała Flora, kręcąc się na siedzisku.

Tata znowu się skrzywił. Wyjątkowo nie lubił seansów filmowych w samochodzie.

– Nie mamy miejsca na odtwarzacz – odpowiedział.

– Nuda – westchnęła Flora.

– Ależ Florciu, będzie wspaniale! – Pani Laura była innego zdania. – Pobawimy się w gry słowne. Może zaczniemy od *Coś w pobliżu na literę*…

Pomysł wszystkim się spodobał. Graliśmy więc w *Coś w pobliżu* i było bardzo zabawnie. Ale wkrótce jechaliśmy już przez las i wyczerpaliśmy pomysły na „cosie", bo wokół były tylko drzewa. Wtedy pani Laura wymyśliła nową zabawę. Polegała ona na wyszukiwaniu wyrazów na określoną literę. Ktoś wypowiadał słowo, a następna osoba musiała powiedzieć wyraz na literę kończąca to słowo. Wprawdzie tata proponował, żeby wymieniać leśne rośliny chronione, ale Flora stanowczo się temu sprzeciwiła. Nowa zabawa nie trwała długo, ponieważ większość wyrazów kończyła się na „a" i brakowało nam już słów na tę literę.

– Armata – rzuciła Flo.

– Aparatura – odpowiedziałam.

– Akurat! Nie gram z wami – zdenerwował się tata. – Wyczerpałem zasób słów na literę „a" i zaraz będzie A-W-A-N-T-U-R-A!

– Ha! Nawet pan zna tylko te wyrazy, które kończą się na „a"! – wykrzyknęła Flora.

Wtedy pani Laura zaproponowała postój na leśnym parkingu.

– Zjedzmy sobie pod chmurką! – zawołała. – O! Patrzcie, jaki ładny parking!

Tata zatrzymał auto, a Flora i ja wyskoczyłyśmy i pognałyśmy w kierunku drewnianych stolików.

– Ale tu jest fajnie! – ucieszyła się Flora.

– Uwaga na kleszcze, komary i inne latające paskudy! – ostrzegła nas mama Flo.

– Czyli owady – wyjaśnił tata. – Tylko kleszcze są naprawdę niebezpieczne. Trzeba bardzo uważać w krzakach i w wysokiej trawie.

Na wszelki wypadek nie zapuszczałyśmy się w las. Nie właziłyśmy w krzaki, ani nie tarzałyśmy się w trawie. Po prostu spacerowałyśmy. Pani Laura przygotowała w tym czasie prawdziwą ucztę. Do stołu zwabiły nas zapachy prowiantu.

– Koszyczek okazał się bardzo przydatny. A nawet niezbędny! – przyznał tata, zajadając ze smakiem wiktuały od pani Zwiędły.

Ja też znalazłam coś dla siebie pośród ogórków i serków, których po prostu nie cierpię.

Spałaszowałyśmy z Florą prawie wszystkie truskawki i maliny, do tego dostałyśmy jogurt. Na koniec wypiłyśmy sok jabłkowy.

– Pycha! – pogłaskałam się po brzuchu i położyłam na ławce.

– Też chętnie bym poleżał – przyznał tata. – Ale wskakujmy do auta, zanim tłumy turystów wyjadą na drogę.

– Nie tak szybko – zatrzymała nas pani Laura. – Musimy po sobie posprzątać.

– Racja – przyznał tata. – Co by o nas pomyślały leśne zwierzęta.

Sprzątanie nie należy do moich ulubionych zajęć, ale dołączyłam do wszystkich. Szefowa Tajnego Klubu Superdziewczyn nie może się wyłamywać w takich sytuacjach!

Jechaliśmy jeszcze godzinę. Tym razem umilaliśmy sobie podróż piosenkami. Okazało się, że pani Laura zna ich sporo. Nauczyła nas piosenki *Lato, lato!*

Śpiewaliśmy więc na całe gardła:

Lato, lato, lato czeka.
Razem z latem czeka rzeka,
Razem z rzeką czeka las,
*A tam ciągle nie ma naaaas!!!**

Wreszcie dotarliśmy do celu naszej podróży. Od razu zorientowałam się, że jesteśmy na miejscu. Najpierw zobaczyliśmy wielkie bocianie gniazdo na słupie. Z gniazda wyglądały biało-czarne pisklęta.

– Żabi Róg leży na trasie bocianiego szlaku – wyjaśnił tata. – Wokół wsi jest sporo bocianich gniazd.

– Jakie są wielkie! – dziwiła się Flora.

– Wydaje mi się, że są jeszcze małe i nie potrafią latać – zauważył tata.

– Ale ja nie mówię o ptakach, tylko o gnieździe! – sprostowała Flo.

– To szalenie ciekawe! – zapalił się tata. – Gniazda są bardzo solidne, a niektóre mogą ważyć nawet pięćset kilogramów!

---

* *Lato, lato* – piosenka z filmu *Szatan z siódmej klasy* nakręconego na podstawie powieści o tym samym tytule autorstwa Kornela Makuszyńskiego; słowa do piosenki napisał Ludwik Jerzy Kern, a muzykę skomponował Witold Krzemieński.

Bardzo się zdziwiliśmy i jakoś trudno nam było wyobrazić sobie, że bociany potrafią zbudować taki wspaniały dom.

Zaraz potem dotarliśmy do tabliczki z napisem „Żabi Róg".

– Jesteśmy na miejscu! – ucieszył się tata.

– Dlaczego właściwie Żabi Róg tak się nazywa? – zapytała Flora.

Tata nie wiedział. A może nie chciał nam powiedzieć?

– Zapytajcie babcię. Może jest jakaś legenda, która to tłumaczy?

Przejechaliśmy jeszcze trochę, minęliśmy zazielenione pola, a potem kilka murowanych domów.

– Ile osób mieszka w Żabim Rogu? – zainteresowałam się.

– Hmm… Może około dwustu? – zastanawiał się tata. – Ale jest tam wiele atrakcji. Zabytkowy kościół, sklepy, plac zabaw, szkoła, przedszkole, boisko do piłki nożnej, remiza strażacka i biblioteka.

– A czy jest kino? Najlepiej takie, w którym można obejrzeć filmy w 3D – dopytywała się Flora.

Tata milczał, za to wtrąciła się jej mama:

– Na wsi raczej nie ma kin. Są inne wspaniałe miejsca. Łąki i pola. Jest sporo upraw, a wokół przepiękne lasy – wychyliła się przez okno i wskazała na gęste drzewa w oddali.

Faktycznie, dookoła było zielono.

Tata dodał:

– Są też gospodarstwa, gdzie hoduje się konie i krowy.

– Aaaa. Wiem. To są farmy! – ucieszyłam się.

– Tak jakby – zamyślił się tata. – Chociaż dawniej nazywaliśmy je po prostu gospodarstwami. Twoja prababcia miała małe gospodarstwo. Hodowała świnie i kury.

– A co z nimi robiła? – zapytałam.

– Kury znosiły jaja, które zjadaliśmy. Świnie też hodowała na własny użytek, żeby mieć mięso – tłumaczył tata.

Potem jeszcze opowiedział nam, czym zwykle zajmowali się ludzie na wsi. O tym, że uprawiali ziemię, zakładali sady i pasieki, wyrabiali smaczne wędliny, piekli chleby, robili przetwory z owoców i warzyw i hodowali zwierzęta.

– A czy na wsi był też weterynarz? – wtrąciła się Flo.

– Weterynarz był niezbędny – potwierdził tata. – Chociaż ci, którzy hodują zwierzęta, znają je dobrze i czasem sami potrafią im pomóc.

– Ja znam jednego weterynarza! – oświadczyła z dumą Flora. – To doktor Dolittle*.

---

* Doktor Dolittle – główny bohater powieści Hugh Loftinga z roku 1920, lekarz, który dzięki swojej papudze Polinezji poznaje język zwierząt i zo-

To było zabawne i wszyscy wybuchnęliśmy śmiechem.

– A czy jest na wsi coś, co ciągle jest dla ciebie niespodzianką? – zapytałam tatę.

– Chyba krowie placki na polu – odpowiedział z poważną miną.

Popatrzyłyśmy na niego zdziwione:

– Jakie krowie placki?

– Kiedy krowa przeżuje trawę, to potem robi placek! – zaśmiał się tata.

Pani Laura skrzywiła się z obrzydzeniem.

– No i masz babo placek. To znaczy – masz mieszczuchu placek! Jesteśmy w tak pięknych okolicznościach przyrody, a ty opowiadasz okropne rzeczy!

– To tylko natura – skwitował tata.

Widziałam po jego minie, że bawi się dobrze.

Wreszcie dotarliśmy do skrzyżowania dróg. Skręciliśmy w lewo tuż za sklepem i zaparkowaliśmy na dużym placu. Obok, w wielkim ogrodzie, stał drewniany dom pomalowany na zielono.

Nie pamiętałam tego domu. Ostatni raz odwiedziłam tu babcię trzy lata temu. Wtedy jeszcze nie byłam szefową Tajnego Klubu. Pamiętałam za to, że kiedy

---

staje weterynarzem. Wraz z grupą swoich zwierząt przeżywa niezwykłe przygody.

podrapał mnie kot, babcia zabrała mnie na najpyszniejsze na świecie lody śmietankowe.

No właśnie! Babcia!

Wygramoliliśmy się z samochodu, a ona zmierzała w kierunku furtki.

JESTEŚMY W ŻABIM ROGU!

Kiedy wyściskaliśmy się z babcią, zaczęło się opróżnianie bagażnika. Tata ustawił na podjeździe cały nasz dobytek, czyli walizy, walizeczki i koszyczki.

– Ale kolekcja! – zdziwiła się babcia. – I pomieściliście tutaj wszystkie te rzeczy? – pytała z niedowierzaniem, wskazując bagażnik.

– Niech pomyślę – zastanawiała się poważnie pani Laura. – Musiałam zrezygnować z sandałów na szpilkach, żółtego kapelusza i kilku sukienek.

– Babcia cię przecież wkręca, mamusiu! – ostrzegła ją Flora.

Pani Zwiędły nie wyglądała na zadowoloną, ale przez grzeczność nic nie powiedziała.

Kiedy nasz majdan, jak określiła to babcia, został już przetaszczony w głąb podwórza, usłyszeliśmy pisk opon.

Babcia zmarszczyła brwi (chyba nie przepada za hałasem), a Flora z radością zawołała:

– To pewnie Franek!

– I Faustyna – uzupełniłam. – Nie możemy pomijać członków Tajnego Klubu Superdziewczyn!

Pobiegłyśmy do furtki.

To byli oni!

Pan profesor stał przy samochodzie. Na szyi miał zawiązaną kraciastą chustę. Franek i Fau biegali wokół niego.

– Szybko dojechaliście – powiedział tata, który wraz z babcią dołączył do naszego komitetu powitalnego.

– Taak – odpowiedział przeciągle tata Franka i wytarł pot z czoła chustką. – Żartujesz oczywiście. Jeśli wziąć pod uwagę to, że wyjechaliśmy dwie godziny przed wami, to nie ma się czym chwalić. Ale ten, kto drogi skraca, może mieć pretensje sam do siebie.

– Pan zabłądził, profesorze? – dopytywała się zatroskana pani Laura.

– Nie! Skądże! – obruszył się profesor i zaraz dodał: – Tylko zwiedziliśmy po drodze: Żabi Dół, Żabi Rów i Żabi Róg Nowy.

– O! Widzę, że ominęliście Żabi Róg Kolonię! – dodała babcia.

– Ale nie ominęło nas stado krów, które przepędzano na drugie pastwisko. Mućki wymusiły na nas pół godziny postoju – oświadczył profesor.

– Widzieliście krowy?! – wrzasnęła z niedowierzaniem Flo.

– To proste. Krowy mieszkają na wsi – skwitował to z wyższością Franek, a Flora przewróciła oczami.

– Kto się czubi, ten się lubi – zażartowała babcia, a ja zwołałam przebiegle:

– A czy widzieliście krowie placki?

Wszyscy parsknęliśmy śmiechem, a Franek wzruszył tylko ramionami.

– Więc skoro już wszyscy dojechaliście, to witam was w Żabim Rogu! – powiedziała uroczyście babcia.

– Nie ma wszystkich – zrobiłam smutną minę. – Brakuje Anieli i Czekolady.

Tata wyjaśnił babci, że Aniela może do nas wkrótce dojedzie, a Czekolada nie zmieściła się w aucie, bo pani Laura miała za dużo bagaży.

– Nikt mnie nie uprzedził, że mamy ograniczenia – tłumaczyła się pani Laura.

Babcia zaproponowała, abyśmy się rozpakowali.

– Zanieście bagaże do letniaka – wskazała biały budynek na skraju podwórza.

Chwyciliśmy mniejsze torby i plecaki, a tatusiowie walizki, i udaliśmy się do budynku.

Wspięliśmy się po drewnianych schodach.

Stojąc na progu domu, zobaczyliśmy wąski korytarz i drzwi do dwóch pomieszczeń.

– To będzie wasze letnie królestwo – powiedziała babcia.

– Czy tutaj są myszy? – zapytała drżącym głosem Flo.

– A komary i muchy? – dodała Faustyna.

Było mi naprawdę wstyd! To ma być Tajny Klub Superdziewczyn? Przypomniałam więc nasze zawołanie:

Karaluchy, szczypawki, pająki,
Padalce, jaszczurki i żmije.
Nie boimy się was, dziwolągi!
Nocne mary czy włóczykije.

Babcia poklepała mnie z uznaniem po ramieniu, po czym poinstruowała nas:

– Panowie na lewo, panie na prawo. Myszy, komary i muchy to normalne sprawy w Żabim Rogu.

– Fu! – wzdrygnęła się Flora.

Musiałam ją uszczypnąć, żeby się opamiętała.

Później zajęliśmy się zwiedzaniem naszego letniego domu. Pokój dziewczyn, ten na prawo, był spory, pełen różnych mebli. Pod ścianą stała dość wysoka szafka

z szufladami, a na niej w wazonie stał piękny bukiet kwiatów. Mebel wydał mi się dziwny, więc zaraz zaczęłam się zastanawiać, jakie może kryć tajemnice.

– Piękne kwiaty! – zachwyciła się pani Laura.

– To polne kwiaty. Chabry, rumianki i maki. Właśnie teraz kwitną – wyjaśniła babcia.

Potem chwyciła za metalową rączkę jednej z szuflad i otworzyła ją.

– Przygotowałam dla was pościel i ręczniki. Znajdziecie je w najniższej szufladzie komody. Czyściutkie i pachnące.

Więc ten wielki mebel, to tylko zwykła komoda? Może tak, ale i zwykłe przedmioty mogą skrywać tajemnice! Nic straconego.

Babcia poleciła nam pościelić łóżka, ustawione ciasno jedno przy drugim. Nie były to takie zwyczajne łóżka, na których śpimy w domach. Każde było inne, ale wszystkie miały wysokie metalowe stelaże zwieńczone ozdobnymi kulami, z których tu i ówdzie odchodziła farba.

Flora znalazła swój sposób na słanie łóżka. Wzięła rozpęd i z impetem wskoczyła na pierwsze z brzegu. Usłyszeliśmy tylko brzdęk, szczęk i jęk. Flo odbiła się od materaca i wyskoczyła pod sufit.

– Ostrożnie! – ostrzegła ją babcia. – Te łóżka mają metalowe sprężyny.

– Fajnie! – odpowiedział Franek. – Będziemy wysoko skakać w czasie bitew na poduszki.

– W twoim pokoju łóżko jest drewniane. Ze skokami proszę ostrożnie! – poskromiła go babcia.

Franek od razu zmarkotniał. Nie w smak mu było to, że tylko my możemy skakać. Zaraz potem wszyscy poszliśmy za babcią obejrzeć jego pokój. Był mniejszy niż nasz, pomalowany na jasno zielono. W głębi stała szafka z dużym, sięgającym sufitu lustrem, a obok niej drewniane, też zielone, łóżko.

– Milutko tu – odezwała się pani Laura.

Wtedy usłyszeliśmy nad sobą szuranie. Zdziwieni, podnieśliśmy głowy i wlepiliśmy oczy w sufit.

Pierwsza odezwała się Fau.

– Co to było?

– Myszy harcują na strychu – wyjaśniła babcia.

– Znamy taką jedną szczurzycę – pochwaliła się Flora. – Przyjechała aż z Włoch.

Mrugnęłam porozumiewawczo do dziewczyn. Fajnie, że Tajny Klub Superdziewczyn już nie boi się myszy!

– Bardzo ciekawe – oceniła babcia. – A teraz zabieram panią Laurę, a wy możecie rozpakować swoje rzeczy – dodała i skierowała się do wyjścia.

Pani Zwiędły rozejrzała się dookoła i zapytała:

– Chwileczkę, a gdzie jest toaleta?

– W letniaku nie ma łazienki. Jest w głównym domu, gdzie mieszkamy my, dorośli. Dzieci będą przychodziły do dużego domu, żeby skorzystać z toalety, wykąpać się i zjeść.

Spojrzeliśmy po sobie. Nieźle! Mieszkamy bez toalety. Mega!

– A jeśli w nocy zachce mi się siusiu? – dopytywał się Franek.

– Cóż, jeśli światło w domu będzie zapalone, możesz przyjść, jeśli nie – babcia zawiesiła głos – Możesz znaleźć ustronne miejsce na podwórzu.

– Czyli w krzakach! – ucieszył się Franek.

Pani Laura za zgrozą uniosła brwi, ale babcia już sobie poszła.

Kiedy tylko zostaliśmy sami w letnim domu, zaczęliśmy się przekrzykiwać.

– Jak na biwaku! Nie ma łazienki! – wołał Franek.

– Zamawiam łóżko pod oknem! – piszczała Flora.

– Ja środkowe, może myszy mnie nie napadną! – wykrzykiwała Faustyna.

Mnie interesowała tylko tajemnicza komoda.

– Ja będę spała przy komodzie. Zobaczycie, odkryjemy tu mnóstwo zagadek.

Zabrałyśmy się na poważnie za rozpakowywanie naszych bagaży i upychanie rzeczy w szafkach przy łóżkach. Każda z nas wyciągnęła swoje przytulanki, które posadziłyśmy na komodzie. Książki ustawiłyśmy obok łóżek, chociaż Flora zastrzegła, że na wakacjach nie zamierza czytać. Już mieliśmy kończyć, kiedy przyszła po nas pani Laura, z wiadomością, że babcia zaprasza na obiad.

Pognaliśmy więc do zielonego domu, pokonując betonowe schody i podwójne drzwi z siatką zabezpieczającą przed natrętnymi owadami. Pierwszym pomieszczeniem, na jakie się natknęliśmy w domu, była weranda. Bardzo mi się podobała, bo przez wysokie okna w niebieskich ramach, umieszczone po jej obu stronach, wpadało dużo światła. Wprawdzie część z nich przysłaniały drewniane okiennice, ale i tak było tu bardzo jasno. Z werandy rozciągał się widok i na ogród, i na podwórze. Meble, które tu stały, były niezwykłe.

Po jednej stronie rozpierała się wielka kanapa. Była taka milusia w dotyku, bo jej obicie wykonano z mięciutkiego weluru. Po drugiej stronie stał podłużny stół z ławami do siedzenia, nakryty już do obiadu.

– Dzieciaki, lećcie umyć ręce i siadajcie do stołu. Dzisiaj serwujemy zupę szczawiową – zawołała babcia, ustawiając na stole parującą wazę.

Wpadliśmy do kuchni, a stamtąd pani Laura pokierowała nas do łazienki:

– Wchodźcie pojedynczo, łazienka nie pomieści was wszystkich.

Posłusznie ustawiliśmy się w ogonku, a Franek pilnował, żebyśmy wchodzili po kolei.

– Od jutra będzie obowiązywała lista wejść do łazienki – zaznaczył.

Kiedy wreszcie usiedliśmy do stołu, porządnie burczało nam w brzuchach.

Pani Laura nalała każdemu porcję szczawiowej.

– Czy szczaw jest dziką rośliną? – głośno zastanawiał się Franek.

– Szczaw* rośnie nad rzekami i na łąkach. Żywią się nim zwierzęta, ale ludzie też go jedzą i cenią, bo ma dużo witaminy C – wyjaśniła babcia. – Chociaż niektóre jego odmiany są po prostu chwastami.

– Czyli jemy chwasty? – zdziwiła się Flora.

– A ja zjem nawet dwa talerze tych chwastów – oświadczyła Fau. – Zupa jest pyszna!

– Ja też! – przytaknęłam i spojrzałam znacząco na talerz z jajkami na twardo. Babcia pozwoliła nam dodać do zupy po pół jaja.

Na drugie danie były naleśniki ze szpinakiem i sałata.

– Wspaniała uczta! – pochwalił babciny obiad pan profesor. – Tyle domowego jedzenia nie widziałem od lat.

– I jak zdrowo! – wtórowała mu pani Laura.

Wstaliśmy, a właściwie wytoczyliśmy się od stołu. Pani Laura zebrała naczynia, zaznaczając, że to wyjątkowa sytuacja, bo spieszyliśmy się, żeby odprowadzić do furtki profesora i mojego tatę. Obaj musieli już wracać do domu. Szkoda, bo przed nami był wspaniały

---

* Szczaw – roślina, która występuje nad brzegami wód i na łąkach. Niektóre jej gatunki są jadalne, a inne wykorzystywane w leczeniu.

dzień. Będziemy zwiedzać gospodarstwo babci, a wieczorem urządzimy sobie ognisko.

Franek zacierał ręce z radości:

– Będę głównym budowniczym ogniska!

Po godzinie znaliśmy już bardzo dobrze każdy kąt na podwórzu i w ogrodzie. Udało się nam nie stratować grządek z warzywami i nie zadeptać kwiatów.

Babcia pokazała nam, jak rosną marchew, buraki i ogórki. Obok znaleźliśmy też kilka główek sałaty, z której przygotujemy smaczne sałatki do obiadu. Groch piął się po specjalnie przygotowanych tyczkach. Obserwowaliśmy, jak babcia przywiązywała do podobnych tyczek pomidory. Podawaliśmy jej przygotowane wcześniej wąskie paski materiału, a ona mocowała nimi łodygi roślin do patyków.

– Ile tu warzyw! – zachwycała się Faustyna.

– Możemy urządzić stragan – podpowiedziała Flora. – Sprzedamy warzywa i kupimy sobie lody!

Babcia miała inną propozycję.

– Jeśli chcecie zapracować na lody, to w pobliżu Żabiego Rogu znajdują się wielkie uprawy malin i truskawek. Tam potrzebują pracowników. Moglibyście zbierać owoce.

Pani Laura stwierdziła jednak, że jeszcze jesteśmy za mali i może za rok spróbujemy popracować przy zbiorach owoców.

Fajnie! Mogłybyśmy kupić nowe wyposażenie dla Tajnego Klubu. Czytałam w książkach o detektywach i zagadkach kryminalnych, że stale trzeba wymieniać sprzęt, bo technika idzie do przodu. Nam przydałby się zegarek z GPS.

Zaczęliśmy przygotowania do wieczornego ogniska. Znosiliśmy chrust z pobliskiego zagajnika i układaliśmy go w kręgu z kamieni. Franek rzeczywiście zajął się konstrukcją ogniska.

– Potrzebujemy paliwa, ciepła i tlenu – oświadczył.

Wytrzeszczyłyśmy oczy.

– Jestem przygotowany. Sprawdziłem przed przyjazdem portale skautów. Myślę, że wybierzemy konstrukcję studni lub wigwamu.

„Niezły jest! ” – pomyślałam. Rzuciłyśmy się do pomocy, każda z nas chciała mieć udział w budowaniu wigwamu.

Wieczorem ognisko wigwam zapłonęło, a my piekliśmy kiełbaski nadziane na patyki. Babcia opowiadała nam co robiła, kiedy była mała.

– Jakie miałaś zabawki, babciu? – zapytała Faustyna.

– Kiedy byłam mała, dzieci nie miały tylu zabawek, co dziś – odpowiedziała babcia. – Wasze pokoje wyglądają jak sklepy z zabawkami. A ja miałam kilka, które zrobiła mi mama. Na przykład lalę ze szmatek z porcelanową główką. Albo piłeczkę wypchaną grochem.

– I to wszystko? – zdziwiła się Flo.

– A tak. Były jeszcze książki, które trzymam do dziś.

– Jakie czytałaś książki, babciu? – zainteresowałam się.

– Jedna z pierwszych, jakie pamiętam, to „Kubuś Puchatek"* – przypomniała sobie babcia.

---

* *Kubuś Puchatek* – powieść brytyjskiego pisarza Alana Alexandra Milne z roku 1926. W Polsce wydana po raz pierwszy w roku 1938. Historia Krzysia, Kubusia Puchatka i przyjaciół ze Stumilowego lasu – Królika, Prosiaczka, Kłapouchego, Mamy Kangurzycy i Maleństwa.

Poza tym dobrze się bawiliśmy bez tych wszystkich zabawek. Graliśmy w klasy, chodziliśmy po drzewach, robiliśmy szałasy nad rzeką – wyjaśniła babcia.

Franek był zachwycony:

– Super! Czy my zrobimy szałas?

– Na pewno, bez tego się nie obędzie – odpowiedziała babcia.

Potem poczęstowała nas przysmakiem z czasów swego dzieciństwa – placuszkami drożdżowymi.

Na koniec zaśpiewaliśmy piosenkę, której uczyłam się kiedyś w zerówce:

Ogniska już dogasa blask,
braterski splećmy krąg.
W wieczornej ciszy, w świetle gwiazd
*ostatni uścisk rąk.**

Ognisko już dogasało. Nad nami zapadała, roziskrzona gwiazdami, ciepła lipcowa noc.

Przeszły mnie ciarki. Byłam już pewna. Tutaj, w Żabim Rogu przeżyjemy wspaniałe przygody.

---

* *Ogniska już dogasa blask* – piosenka harcerska, która powstała na podstawie słynnej szkockiej pieśni ludowej o przyjaźni *Auld Lang Syne*.

WYPRAWA DO STAJNI

Następnego ranka wstaliśmy wcześnie. Dosłownie wskoczyliśmy w ubrania, a potem spokojnie czekaliśmy w kolejce do łazienki. Franek zrobił, jak obiecał – wytrwale kontrolował kolejkę do łazienki i mycie zębów. Mamy już stałe zęby, więc to ważne. Za to Flora nadawała szeptem:

– I znowu w tej kolejkowni! Jeden kibelek i jedna umywalka na tyle dzieciaków.

Spojrzeliśmy na nią zdziwieni.

– No i co?

– No nic! Tak tylko mówię do siebie – wymamrotała i zniknęła czym prędzej za drzwiami łazienki, bo właśnie przyszła jej kolej.

Franek zagroził, że za zrzędzenie da jej ostatnie miejsce w kolejce przez dwa dni z rzędu.

Babcia krzątała się po kuchni bez słowa. Szurała garnkami po piecu.

– Za chwilę będę wydawała owsiankę – oznajmiła.

Zrozumieliśmy, że oznacza to koniec porannej toalety.

– Szybciej! – popędzał nas Franek. – Wy, dziewczyny, przesiadujecie w łazience tyle, że mógłbym w tym czasie wykonać trzy porządne doświadczenia! Łącznie z Wielkim Wybuchem!

Wreszcie udało nam się umyć wszystkie zęby, buzie i ręce. Pognaliśmy na werandę i zajęliśmy miejsca wokół stołu. Siedzieliśmy spokojnie z nadzieją, że dzisiaj wydarzy się coś niezwykłego.

Babcia wniosła na tacy miseczki z owsianką i postawiła na środku stołu. Nie musiała nas zachęcać do jedzenia. Zgłodnieliśmy tak bardzo, że daliśmy radę nawet owsiance.

W tym czasie drzwi otworzyły się z hukiem i na werandzie stanęła pani Laura.

Babcia uśmiechnęła się do niej.

– A cóż tam upolowałaś w tym malinowym chruśniaku?

Pani Zwiędły pokazała triumfalnie łubiankę pełną malin.

– Dzieciaki to chyba takiej poezji jeszcze nie znają… Ale maliny są takie zdrowe. Opłuczę je i będą w sam raz do owsianki.

– Bardzo wcześnie dojrzewają w tym roku – zauważyła babcia. – Mają bardzo dużo słońca.

Pani Laura wróciła po chwili z miską wypełnioną czerwonymi, soczystymi owocami.

Wrzuciliśmy po garści malin do naszych misek i zajadaliśmy, aż uszy nam się trzęsły. Nawet Flo nie narzekała.

Nie czekając, aż skończymy śniadanie, babcia oznajmiła:

– Pójdziecie dzisiaj do stajni.

– Konie śmierdzą – skrzywiła się Flo.

Babcia spojrzała gdzieś daleko za okno werandy i niezrażona ciągnęła:

– Jeśli pomożecie sprzątać stajnię, to może Kostek od sąsiadów pouczy was jeździć konno.

Wszystkim zaświeciły się oczy, a Flora spojrzała przepraszająco na babcię.

Babcia pokiwała tylko głową i obwieściła:

– Do koni bez szpilek i bez klapek!

Pani Laura spojrzała na swoje stopy w różowych klapkach.

– Ależ nie wybiorę się tak do stajni! – żachnęła się. – Tylko czy to jest bezpieczne dla dzieci? One są z miasta. Nie umieją pomagać przy koniach.

– Nauczą się – skwitowała babcia i wyszła.

Po kilku minutach stała przed nami z koszykiem i termosem.

– Tu macie drugie śniadanie. A teraz zbierajcie się już, bo zamykam dom i jadę do sklepu. Dzisiaj jest świeży nabiał – ponaglała nas babcia.

W pośpiechu założyliśmy buty, Franek chwycił koszyk i wszyscy wyszliśmy z domu.

Babcia wskoczyła dziarsko na rower. Tak, dosłownie wskoczyła i pognała przed siebie. Przed furtką odwróciła się jeszcze i zawołała w naszą stronę:

– Widzimy się na obiedzie o drugiej!

Po chwili my też opuściliśmy posesję i podreptaliśmy gęsiego do sąsiadów. Pochód zamykała pani Laura, która zmieniła klapeczki na trampki.

Konie poczuliśmy już w momencie, kiedy weszliśmy na podwórze sąsiadów.

– Fe – Flora zatkała nos. – A nie mówiłam?

Na próżno rozglądaliśmy się w poszukiwaniu koni. Nie było tu w ogóle żywego ducha.

– Chyba nie spodziewacie się, że konie będą galopować swobodnie po podwórzu – zauważyła Faustyna. – Musimy poszukać stajni.

Podwórze było wybrukowane. W głębi stał dwupiętrowy, murowany dom. Szerokie schody z drewnianą balustradą w zielonym kolorze prowadziły wprost do przeszklonych drzwi. Zielone były także okiennice, na których namalowano podkowy. Od razu widać, że konie są tu ważne! W ogrodzie otaczającym dom kwitło mnóstwo kwiatów, ale nam najbardziej podobały się wysokie różowe malwy.

– O! Maliny! – zawołał Franek i pobiegł pod sam dom. Już miał wyciągnąć rękę po dojrzałe czerwone owoce ukryte pod liśćmi, kiedy wszyscy podnieśliśmy alarm:

– Niiiieee!

Franek stanął jak wryty.

– Czy to są trujące owoce? – zapytał zdziwiony.

– Naprawdę nie masz dość? – prychnęła Flo.

Wtedy włączyła się pani Laura:

– Franku, jesteśmy gośćmi na czyimś podwórku. To własność prywatna. Nie dostałeś pozwolenia na wchodzenie do tego ogrodu, więc nie wolno ci zjadać owoców z cudzych krzewów.

Franek cofnął się zawstydzony.

– To dziwne, że nikogo tu nie ma – narzekała Flora.

– Patrzcie, tu jest ścieżka i wyjście! – zawołał Franek, który już zawędrował w przeciwległy koniec posesji.

Zaraz pobiegliśmy w jego kierunku.

Rzeczywiście, na skraju podwórza, za krzewami bzu, ukryta była furtka. Cała zielona, a jakże, i oczywiście wymalowana w podkowy.

– Konie tu rządzą! – odezwała się milcząca dotąd Faustyna.

Franek ostrożnie nacisnął klamkę i spojrzał na panią Laurę, która właśnie do nas dołączyła.

Skinęła przyzwalająco głową. Pewnie też była ciekawa, co kryje się za zieloną furtką.

Kiedy tylko stanęliśmy na podwórzu, podbiegły do nas psy. Najpierw czarny, podobny do spaniela. Po nim drugi, biały kundelek. Obwąchały nas, a potem zaczęły ujadać.

Obszczekiwały nas i szczerzyły zęby.

– Ostrożnie – ostrzegała nas pani Zwiędły. – Mogą być groźne.

– Beksa! Boruta! Do nogi! – rozległo się nagle w gospodarstwie.

Psy przestały szczekać i pobiegły w głąb podwórza.

W naszym kierunku zmierzał opalony mężczyzna w kraciastej koszuli i wysokich zielonych kaloszach.

– Czy tutaj wszystko musi być zielone? – wykrzywiła się Flora.

– Jesteście od Staśków! – zawołał gospodarz.

– Od kogo?! – zdziwił się Franek.

– Eee – mężczyzna podrapał się po głowie. – U nas na wsi tak nazywamy rodziny. Od imienia ojca. Staśkowie, Jurkowie... Ja jestem od Kostków. Mój tata nazywa się Konstanty. I ja też mam na imię Konstanty. Ale mówcie mi Kostek.

Wszystko się wyjaśniło! Teraz już wiem, dlaczego nazywam się Stanisława. Jak moja babcia. I jestem od Staśków!

– Ja jestem od Staśków! – powiedziałam z zadowoleniem.

Pani Laura wyciągnęła rękę do Konstantego i powiedziała:

– Bardzo nam miło... Laura. A to dzieciaki...

– Nie dzieciaki, tylko Tajny Klub Superdziewczyn – odparowała Flo. – A ten tutaj, to Franek... liczy, że go wpiszemy do klubu.

Franek poskoczył jak oparzony i rzucił się na Florę. Ta nie czekała długo, wzięła nogi za pas i zniknęła w otwartej stodole. Pobiegliśmy za nimi. W drzwiach dosłownie zderzyliśmy się z jakimś wielkim ptaszyskiem. Aż podskoczyłam, bo rozległo się donośne:

– Kukurykuuuuuu! Kukurykuuu!

To był kogut. Jego pianie zagłuszyło wszystkie rozmowy.

Jakby w odpowiedzi, rozległo się rżenie koni. Po chwili wszystkie zwierzęta w obejściu odzywały się po swojemu.

– Jakie wielkie kogucisko! – zdziwiła się pani Laura, kiedy ta zwierzęca menażeria ucichła.

Kogut pokazał się teraz w całej okazałości. Przechadzał się dumnie po podwórzu. Był całkiem rudy, do tego dość gruby, a głowę zdobił mu piękny, czerwony grzebień. Wokół łap miał mnóstwo piór, które sterczały napuszone i sprawiały wrażenie grubaśnych skarpet.

– Ma kurze getry! Patrzcie! – zauważyła Flo.

Kostek machnął ręką na koguta i zaśmiał się:

– Naszemu staruszkowi ciągle się wydaje, że jest tu szefem! Chcecie zobaczyć stajnię? – zapytał.

– Taaaak! – krzyknęliśmy z całej siły.

Pomaszerowaliśmy za Kostkiem. Był od nas dużo straszy, ale tak właśnie kazał się do siebie zwracać.

Weszliśmy do wysokiego pomieszczenia. Na betonowej podłodze składowano siano i słomę. Na sianie tarzali się Flora i Franek.

Stanęliśmy nad nimi.

– Flora, Franek! Koniec walki! – zawołała pani Laura.

Franek posłusznie starał się wyzwolić z uścisku Flo. Ta nie dawała jednak za wygraną.

Wtedy do akcji wkroczył Kostek. Sprawnie rozdzielił walczących i rozstawił ich po kątach. Pani Laura podeszła do zwaśnionych i próbowała z nimi rozmawiać.

– Rozejrzyjcie się – zaproponował Kostek. – A ja skoczę do paszarni, przyniosę trochę smakołyków dla Malagi.

Stajnia była bardzo zadbana. Tu i ówdzie stały stare wiadra i misy. Na ścianie wisiały siodła i uprząż. Nie wiedziałam, jak to się nazywa, ale Faustyna nam wszystko wytłumaczyła.

Najbardziej jednak interesowali nas mieszkańcy, a właściwie jeden mieszkaniec stajni. W głębi zauważyliśmy konia. To był kary koń z grzywą zaczesaną filuternie na bok i z białą plamką na czole.

– Ale ma śmieszny chlewik – wyszczerzyła się Flo, podchodząc bliżej.

– To boks! – oburzył się Franek.

– Konie nie mieszkają w chlewikach – poparła go Faustyna.

– Otóż to! – potwierdził Kostek, który schodził z drabiny z workiem marchwi. – I tu prośba do was: dokładnie zamykajcie boksy, są tu specjaliści od ich otwierania.

– Naprawdę? – zdziwiłam się. – Konie same umieją otworzyć drzwi?

– Nie wszystkie konie, ale Malaga nie usiedzi w spokoju.

– Ale ma fajne imię! – ucieszyłam się.

Za to Flora nie mogła się nadziwić, że konie jedzą marchewkę.

Faustyna prychnęła lekceważąco:

– Przecież to jasne!

– A ty skąd to wiesz? – odparowała Flo.

– Nie pamiętasz? Dostałam na urodziny karnet na jazdę konną! – wyjaśniła Faustyna i śmiało podeszła do karego.

Kostek wręczył nam po kilka marchewek. Fau umiejętnie podała je koniowi i czule go pogładziła.

– Hm – mruknęła Flora. – Myślałam, że tylko Franek to mądraliński, który zna się na wszystkim.

Ale nikt jej nie słuchał, bo właśnie Kostek zaproponował nam wycieczkę do drugiej części stajni.

– Tutaj mieszka tylko Malaga – oświadczył. – Ale wkrótce dołączą do niej inne konie.

– Malaga będzie miała wtedy przyjaciółki! – ucieszyłam się.

– Bardzo tego chcemy, bo nie lubi samotnych wieczorów – potwierdził Kostek i poszedł w głąb stajni, a my za nim prawie biegiem, bo takie wielkie dawał kroki w swoich zielonych kaloszach. Pani Laura ledwo za nami nadążała.

Druga część stajni była znacznie większa. Okna umieszczono tu wysoko pod dachem, a konie stały w oddzielnych, przestronnych zagrodach.

– Jakie śmieszne maluszki! – Flora wskazała na najbliższy boks.

– To kucyki. Trzymamy je dla dzieciaków – powiedział Kostek.

– Jak te kucyki z bajki? – zapytała Flo.

– To specjalna rasa – tłumaczył nasz przewodnik. – Tych z bajki nie znam.

Konie były bardzo nami zainteresowane. Wyciągały szyje i wystawiały łby z boksów. Jeden, zupełnie siwy, zarżał na nasz widok, pokazując zęby.

– Niezły garnitur – skomentowała pani Laura.

Po chwili znowu usłyszeliśmy pianie koguta, a konie odpowiedziały mu rżeniem.

– A cicho! – krzyknął Kostek. – To goście. Będą nam pomagali w sprzątaniu.

Miny nam zrzedły, bo liczyliśmy, że babcia sobie z nas zażartowała.

– A miało być tak pięknie – smętnie mruknął Franek.

Kostek wyposażył nas w fartuchy, grabie i miotły. Naszym zadaniem było uporządkowanie stajni i zgrabienie słomy i siana. Kiedy stajnia była lśniąca i czyściutka, razem z Kostkiem dorzucaliśmy do boksów świeżą słomę. Konie lubią czystość, a boksy to ich dom, więc wszyscy tu dbają o porządek. Podawaliśmy też Maladze siano do schrupania, bo bardzo to lubi i jest spokojna w czasie czyszczenia boksu.

Nic jednak nie zapowiadało, że będziemy jeździć konno.

– Babcia mówiła, że nagrodą za sprzątanie będzie jazda – wyrwało się Florze.

– Nagrodą mówisz? Takie nagrody rozdaję tylko wtedy, kiedy mam pewność, że dacie sobie radę z koniem – odrzekł Kostek i zaproponował: – Dzisiaj opowiem wam o koniach, ich zwyczajach i pokażę wam, jak się jeździ.

– Faustyna już umie jeździć – oświadczyła naburmuszona Flo.

– Będę więc miał pomocnika – ciągnął Kostek.

Potem, wraz z Faustyną, opowiedzieli nam o zwyczajach koni, bezpieczeństwie jazdy oraz o sposobach czyszczenia zwierząt. Ustaliliśmy, że rozpoczniemy jazdę konną przy najbliższej okazji. Z trudem rozstaliśmy się z końmi, ale za to czekały już na nas inne niespodzianki. Dzisiaj mogliśmy jeszcze obejrzeć kurnik i chlewik dla świń. Kiedy przyszła pora obiadu, Kostek zapraszał nas na bigos, ale tym razem nie mogliśmy się skusić. Na szczęście! Bo co to właściwie jest ten bigos?

– Babcia czeka na nas z obiadem – wyjaśniła pani Laura.

I pognaliśmy z powrotem. Fajnie, bo babcia przygotowała nie lada niespodziankę. Naleśniki z serem i truskawkami!

NOWA ZAGADKA

Kiedy następnego dnia rano wygramoliliśmy się z łóżek, było jakoś inaczej niż zwykle. Ciszej. Zauważyliśmy to dopiero po kilku chwilach.

– Co to znaczy? – zdziwiła się Flora.

– Kiedy będzie śniadanie? – wykrzywił się Franek. – Jestem bardzo głodny.

Kręciliśmy się po całym domu w poszukiwaniu babci. Ale w domu jej nie było. Za to z łazienki dochodziły wesołe dźwięki. To pani Laura w czasie porannej toalety wyśpiewywała dobrze nam znane włoskie przeboje.

Ustawiliśmy się w kolejce do łazienki. Właściwie ustawił nas Franek. Długo tkwiliśmy pod drzwiami, słuchając koncertu. Wszyscy patrzyliśmy na Florę, wreszcie nie wytrzymałam...

– Musisz coś zrobić – powiedziałam błagalnym tonem.

Flora zastukała do drzwi, przekonując swoją mamę, aby wyszła.

– Już? – zdziwiła się pani Laura. – Wcześnie dzisiaj wstaliście!

I znowu popłynęły słowa rzewnych piosenek.

– Chce nam się siku i jesteśmy głodni! – wrzasnęliśmy chórem.

Pani Laura zamilkła. Po chwili wystawiła nos, aby przekonać się, czy na pewno ciągle tam stoimy.

– O czym traktują te smutne pieśni? – zapytał Franek.

W odpowiedzi usłyszeliśmy jej rozmarzony głos:

– O miłości traktują, o miłości. Ach, ci Włosi!

– Mamo, ciągle mówisz o tych Włochach! – skarciła ją Flora.

Pani Laura nagle spoważniała i ogłosiła:

– Ktoś tu jest głodny. A dzisiaj to ja robię śniadanie. Z waszą pomocą.

– Nieeeeee! – jak na komendę wyrwało się z naszych gardeł.

– Chcemy naleśniki babci Stasi! – wrzasnął Franek.

Zawtórowaliśmy mu.

– Naleśniki! Naleśniki! Gdzie jest babcia? Gdzie jest babcia?! – wołaliśmy.

Pani Laura wyjaśniła spokojnie:

– Babcia jest zajęta. Ma gościa.

Ale my nie daliśmy sobie nic wytłumaczyć i skandowaliśmy:

– Naleśniki! Naleśniki!

Pani Laura pokręciła głową z niezadowoleniem i zabrała się za przygotowanie śniadania.

Pierwsza nie wytrzymała Flora i zapytała:

– To co dzisiaj będzie na śniadanie, mamo?

– Parówki – odpowiedziała krótko pani Laura.

– Co? Znowu te kwasowe parówki? – skrzywiła się Flora. – Myślałam, że zostały w domu.

Naraz drzwi otworzyły się z hukiem i w progu stanęła babcia. Miała na głowie kapelusz, a w ręku trzymała siatkę na motyle.

– Co tu się dzieje? – zagrzmiała. – Słychać was na drugim końcu wsi!

Wpatrywaliśmy się w nią bez słowa.

Wreszcie pani Laura wyjąkała:

– Bunt na pokładzie. Nie chcą jeść parówek.

– Trudno. Będziecie głodni – zdecydowała babcia, po czym zamknęła za sobą drzwi.

I tyle ją widzieliśmy.

Staliśmy osłupiali. Jak to? Mamy dzisiaj być bez śniadania?

Postanowiłam ratować sytuację:

– Może parówki będą jednak smaczne?

Flora wzruszyła ramionami.

– Ej. Jesteśmy Tajny Klubem! Pamiętacie? – nie przerywałam. – Zabieramy się za śniadanie.

– Nie wszyscy jesteśmy w klubie – mruknęła Flo, patrząc na Franka.

To nie było miłe. Może Flo wstała dzisiaj lewą nogą. Wzięłam więc sprawy w swoje ręce. Zarządziłam, że Franek pokroi pomidory i chleb, dziewczyny posmarują pieczywo, a ja pomagę pani Laurze ugotować parówki.

Mama Flo spojrzała na mnie z podziwem.

– Stanęłaś na wysokości zadania. Jak szef z krwi i kości! – powiedziała.

– Szef Tajnego Klubu Superdziewczyn! – dodałam z dumą.

– I superchłopaków! – obruszył się Franek.

Flo wzruszyła tylko ramionami i mruknęła:

– Jak przystało na szefa, zajęcie masz najłatwiejsze. Gotowanie parówek! Też mi coś!

Nie przejmowałam się nią. Każdy ma czasem gorszy dzień.

Kiedy śniadanie było już gotowe, zgromadziliśmy się na werandzie wokół stołu.

– Patrzcie! Babcia! – krzyknął nagle Franek, pokazując na ogród.

Wlepiliśmy nosy w szybę. Babcia w towarzystwie jakiejś pani siedziała przy ogrodowym stoliku. Obie miały na sobie podobne kapelusze. Pochylały się nad stolikiem. Wyglądało na to, że omawiają coś ważnego.

– Co one tam robią? – zainteresowała się Flora.

– Grają w karty! – wykrzyknął triumfalnie Franek.

– A ja wam mówię, że one coś knują! – wypaliła Flo.

Na ten okrzyk na werandę wkroczyła pani Laura.

– Śniadanie wam stygnie – zauważyła. – A babci moglibyście dać odrobinę prywatności.

Ze skwaszonymi minami opuściliśmy swoje strategiczne pozycje przy oknie i wróciliśmy do stołu.

Po chwili zajadaliśmy się parówkami i chlebem z pomidorami.

– Jakieś inne te parówki – oceniła Flora. – Mniej kwasowe niż w domu.

Jej mama puściła do mnie oko.

– Po prostu u babci, z wiejskim zdrowym powietrzem, smakują lepiej – skwitowała. – A teraz zapraszam klub do posprzątania stołu.

Zebraliśmy naczynia.

– Ładujemy do zmywarki – zarządziłam.

– Tutaj nie ma zmywarki – usłyszeliśmy nagle głos babci.

– Babcia! – krzyknęliśmy radośnie.

– Bez zmyłek. Jestem babcią bez zmywarki. Zakasujcie rękawy i do sprzątania. A potem kogoś wam przedstawię – odpowiedziała babcia.

Wtedy zauważyliśmy, że za jej plecami stoi jakaś pani.

Zżerała mnie ciekawość, kim ona jest i dlaczego ma być nam przedstawiona.

Tymczasem, ku radości pani Laury, wszyscy zgodnie rzuciliśmy się do zmywania. No, może bez Flory.

– Jeszcze ktoś pomyśli, że uwielbiamy takie zajęcia – westchnęła, ale zaraz dołączyła do reszty zmywającej ekipy.

– Jaka zgodność w Tajnym Klubie Superdziewczyn! – zauważyła pani Laura.

– I superchłopaków! – dodał zaraz Franek, ale Flora dała mu szturchańca.

Babcia za to opowiadała nam bardzo ciekawe historie:

– Byłam kiedyś harcerką. I wiecie co? Zmywaliśmy naczynia po posiłkach całego obozu! A było nas ponad sto osób i nie mieliśmy ciepłej wody.

– I zmyliście naczynia w zimnej wodzie? – wtrąciła Fau. – Może mieliście ten cudowny płyn z reklamy? Bo słyszałam, że wystarczy tylko kropelka i tłuszcz znika!

Babcia się roześmiała i puściła do nas oko:

– I ja słyszałam tę reklamę. Ale telewizja uwielbia sobie z nasz żartować! Zdradzę wam mój niezawodny sposób na zmywanie. Harcerski – dodała.

Spojrzeliśmy na nią zaciekawieni. Bo co specjalnego może być w zmywaniu?

– Najpierw szorowaliśmy naczynia piaskiem, a dopiero potem je płukaliśmy – wyjaśniła babcia.

– Sprytne! – ocenił z podziwem Franek.

– O tak! Na wsi mamy wiele sposobów na trudne sprawy – dodała tajemnicza nieznajoma, która dopiero teraz po raz pierwszy się odezwała.

– Chociaż i u nas są pewne niewyjaśnione zagadki! – ciągnęła babcia.

Zastrzygłam uszami. ZAGADKI! Tutaj są zagadki! Straciliśmy już trzy dni na poszukiwanie czegoś tajemniczego, a teraz dowiadujemy się tego najważniejszego. Niesłychane.

Uszczypnęłam z radości Florę, która z kolei oddała szczypawkę Fau. Fau, nie namyślając się wiele, oddała szczypa mnie. I tak obszczypane, członkinie Tajnego Klubu Superdziewczyn, stałyśmy prawie na baczność przed babcią i jej tajemniczą znajomą.

– Lauro, Franku, kończcie zmywanie i dołączcie do nas – zaproponowała babcia.

Pani Laura pospiesznie wytarła ostatni talerz, a Franek wstawił go do szafki.

– Przedstawiam wam Helenę. Helena jest córką mojej przyjaciółki, Klementyny. Pracuje w bibliotece i jest bardzo mądrą dziewczyną.

– Oj tam! – niecierpliwie rzuciła Helena i kiwnęła przyjaźnie w naszym kierunku. Z uśmiechem zdjęła z głowy swój staromodny kapelusz, spod którego wysypały się niesforne rude włosy.

– Ooo! – wyrwało się Faustynie. – Zupełnie jak Ania!

– Pani nazywa się Helena, a nie Ania – poprawiła ją zaraz Flora.

Ale pani Helena poparła Fau:

– Ja chyba wiem, o co chodzi. Wasza koleżanka uważa, że jestem podobna do Ani z Zielonego Wzgórza*. Mówcie mi po imieniu – po prostu Hela.

---

* *Ania z Zielonego Wzgórza* – bohaterka serii książek o rudowłosej dziewczynce z domu na Zielonym Wzgórzu w Avonlea, autorstwa Lucy Maud Montgomery. Pierwsza książka ukazała się w 1908 roku i od razu stała się bardzo popularna.

Flora nie dawała za wygraną i zwróciła się do Faustyny:

– Skąd znasz tę Anię?

– Nie znam jej osobiście! To znaczy jakby znam, ale nie mogę się z nią spotkać – odpowiedziała zniecierpliwiona Faustyna. – To jest bohaterka książki. Moja mama, kiedy była mała, uwielbiała *Anię z Zielonego Wzgórza*. A teraz czytamy ją razem.

Flora spuściła z tonu i przyznała:

– Może to fajnie tak razem czytać. Ale nie słyszałam o tej Ani ze wzgórza.

Babcia, która przysłuchiwała się z zainteresowaniem naszej rozmowie, powiedziała:

– Nic straconego. Hela pracuje w naszej bibliotece. Możecie u niej wypożyczyć *Anię z Zielonego Wzgórza*. Poczytamy wieczorem.

– Super pomysł! – zapaliłam się. – Pani Laura mogłaby się przyłączyć!

Flora nie była przekonana. Czytanie w czasie wakacji to, jej zdaniem, nuda. Zaraz też zaznaczyła, że przyjechała tutaj wypoczywać, a nie się uczyć.

Naszą uwagę zwróciło jednak zupełnie coś innego.

– Oczywiście, chętnie wam wypożyczę *Anię z Zielonego Wzgórza*. O ile mamy jeszcze jakikolwiek egzemplarz – oznajmiła Hela i spojrzała ze smutkiem na babcię.

Babcia pokiwała głową:

– Hela odwiedziła mnie dzisiaj rano po wizycie w bibliotece. Zniknęło kilkanaście książek. I to nie pierwszy raz w tym miesiącu.

Stałyśmy, a właściwie staliśmy, bo przecież był z nami Franek, jak wryci.

Pierwszy odezwał się Franek:

– Czyli z biblioteki giną książki. Czy podejrzewa pani kogoś?

– Mów do mnie Hela, dobrze? – poprosiła bibliotekarka. – Nie podejrzewam nikogo. Ludzie są tu uczciwi. Znamy się wszyscy. Nigdy wcześniej nie zdarzyło się tutaj nic podobnego. – A potem dodała: – Nikt dotąd nie wynosił książek z biblioteki. No, może czasem ktoś zapomniał, gdzie odłożył książkę w domu i kilka dni trwały poszukiwania.

– Hm. To w takim razie musi być jakiś mól książkowy! – włączyła się pani Laura.

Spojrzeliśmy na nią ze zdziwieniem.

– Molem książkowym nazywa się osobę, która wyjątkowo lubi książki i czyta ich bardzo dużo – wyjaśniła mama Flory.

Po chwili namysłu jej córka dodała:

– Można więc powiedzieć, że Faustyna i Franek są molami książkowymi!

Franek urósł z dumy, a Faustyna spąsowiała.

– Tak. To dobre porównanie – zgodziła się pani Laura. – Ale myślę, że to nie oni stoją za zaginionymi książkami.

– Tego jeszcze nie wiemy – złośliwie uśmiechnęła się Flo.

Wtedy oświadczyłam:

– Tajny Klub Superdziewczyn zajmie się tą zagadką!

Franek szturchnął mnie dyskretnie i zaraz się poprawiłam:

– Tajny Klub Superdziewczyn z jednym superchłopakiem na pokładzie!

Wtedy Franek błyskawicznie wkroczył do akcji i zaproponował:

– Chcemy wybrać się do biblioteki, aby zabezpieczyć dowody i zbadać miejsce przestępstwa.

Zapadła cisza. Wszyscy wpatrywali się w niego w napięciu.

– Tak się postępuje w profesjonalnym dochodzeniu – oświadczył.

Potem lawinowo powstawały nowe pomysły.

– Potrzebujemy listy najbardziej zaangażowanych czytelników – rzuciłam.

– Musimy wiedzieć, jakie książki zaginęły! – dodała Fau.

– I znać dokładne daty, kiedy to się stało – zakończyła Flora.

Hela była bardzo zdziwiona rozwojem sytuacji. Pani Laura wyjaśniła jednak, że Tajny Klub Superdziewczyn działa od pewnego czasu. Opowiedziała, że mamy na swoim koncie już trzy rozwiązane zagadki.

– Gratuluję! Mam więc szansę na odzyskanie księgozbioru – ucieszyła się Hela.

Obiecała, że następnego dnia po śniadaniu wybierzemy się do biblioteki. Będziemy mogli zapoznać się ze wszystkimi szczegółami sprawy na miejscu.

Hela poszła, a nas czekały póki co bardziej przyziemne zadania – na przykład wyrywanie chwastów z ogródka babci. Wyrywanie chwastów nazywa się opielaniem. Ale babcia mówi, że to pielenie. Tak mówiła jej babcia i babcia babci. I tak zostać już musi.

W opielaniu chodzi o to, aby wyrwać wszystkie niepotrzebne rośliny, czyli chwasty, które przeszkadzają rosnąć roślinom pożytecznym. Babcia mówi, że chwasty zagłuszają rośliny uprawiane, które przez to rodzą mniej owoców i kwiatów.

Jest dużo rodzajów chwastów. W ogrodzie babci najczęściej rosną perz, lebioda, mlecze, a czasami pokrzywy i łopian. Perz podobny jest do wysokiej trawy. Tak mocno siedzi w ziemi, że przy wyciąganiu bardzo często urywa się jego korzeń. Lebioda to roślina na wysokiej łodydze z listkami podobnymi do stokrotki. Z lebiody przyrządzano zupę! I babcia nam powiedziała, że ten chwast ratował kiedyś ludzi od śmierci głodowej. Kiedy nie mieli co jeść, zrywali lebiodę i gotowali z niej zupę, którą mogli się najeść. Proste, co?

Chwastem jest też mlecz, czyli mniszek lekarski, z żółtymi, postrzępionymi kwiatami. Kiedy przerwiemy jego pustą łodyżkę, ta puszcza biały sok i zostawia na naszych dłoniach brązowe plamy. Z kwiatów mlecza tworzą się piękne dmuchawce! Łopian ma liście wielkie jak parasole. Udaje cierpki rabarbar i panoszy się w zaułkach. Babcia mówi, że kiedy kwiaty łopianu przekwitną, wtedy pojawiają się fioletowawe kolce. A te lubią przyczepiać się do ubrań. Ale najgorsza była pokrzywa! Ukrywała się pomiędzy wysokimi liśćmi marchwi i naraz ciach! – parzyła nas w ręce. Pokrzywa ma delikatne parzące włoski na łodydze i na liściach. Bąble od pokrzywy wprawdzie szybko znikały, ale pieczenie było nieznośne. Chwasty wyrywaliśmy z grządek z pietruszką, marchewką i truskawkami. Kilka razy udało nam się wyrwać małą marchewkę albo krzewinki truskawek, szczególnie gdy oplatał je perz. Babcia nie dopuściła nas tylko do kopru i ostrzegała:

– Nawet ja z trudem odróżniam młody koper od zielska, które sprytnie się pod niego podszywa.

Ale i tak mieliśmy mnóstwo roboty!

– Kiedy ja byłam mała, to dopiero rosły chwasty! Niektóre z nich już wyginęły, bo ludzie stosują środki chemiczne do oczyszczania pól z zielska. Nie ma już kąkola, miał takie piękne liliowe kwiaty. Był wprawdzie trujący, ale dzisiaj jest pod ochroną. Słyszałam nawet o specjalnych ogródkach dla chwastów* – opowiadała babcia.

---

* Ogródek dla chwastów – ze względu na stosowanie chemii w zwalczaniu chwastów, części gatunków grozi wyginięcie. W ramach ochrony zakłada się między innymi specjalne ogródki dla chwastów.

Kiedy byliśmy już bardzo zmęczeni, a słońce zaczęło przypiekać, babcia urządziła nam biesiadowanie w ogrodzie. Za grządkami na trawie rozłożyła koce, a na nich postawiła talerze z mnóstwem jedzenia. Kiełbaski, pomidory, rzodkiewki i najpyszniejszy pod słońcem chleb, który piekł się jeszcze przed naszym przyjazdem. Spałaszowaliśmy wszystko, a babcia pozwoliła nam na deser prosto z krzewu. Pobiegliśmy do malin, które gęsto rosły pod płotem, ostrożnie omijając stokrotki rozsiane w trawie. Zrywaliśmy z wysokich krzewów słodkie, rozpływające się w ustach owoce. Trzeba było tylko uważać, bo maliny okropnie kłują.

Tak minął dzień, a my dowiedzieliśmy się o tajemnicy w bibliotece.

WIZYTA W BIBLIOTECE

Nazajutrz wszyscy byliśmy jak poobijani. Od wyrywania chwastów bolały nas plecy, ręce i nogi.

– Mam zakwasy w łydkach! – narzekała pani Laura. Po chwili zabrała się za skłony, przysiady i rozciąganie. A przecież pracowała w najlepszych warunkach. Podczas pielenia mogła siedzieć na składanym stołeczku. Babcia miała podobny. Kiedy jedna z nich wychodziła z ogrodu, graliśmy w wyliczankę o stołeczek:

Ene due rabe
połknął bocian żabę.
Żaba wcale się nie bała,
o stołeczku już myślała!

Raz, dwa, trzy –
stołek będziesz miał tyyyy!

Dwa razy wypadło do mnie! Siedziałam sobie wygodnie na stołku i wyrywałam chwasty. Wprawdzie raz trwało to pięć minut, kiedy akurat nie było babci, a potem całe siedem minut pod nieobecność pani Laury, ale i tak cieszyłam się!

– Nie narzekajcie – oświadczyła babcia, kiedy obolali dotarliśmy na śniadanie. – Zbierajcie się na poranną zaprawę. Musicie być sprawni, bo dzisiaj czeka was wycieczka do biblioteki.

Zaświeciły się nam oczy.

– Biblioteka! Nareszcie zaczynamy prawdziwe dochodzenie! – ucieszyłam się.

Franek zastrzygł uszami i coś szepnął Florze. Za to pani Laura dzielnie się rozciągała.

– Mama Flory zna parę niezłych ćwiczeń – zauważyła babcia, patrząc na nią. Zaraz też sama wykonała skłon i całymi dłońmi dotknęła ziemi.

– Babciu! Jak to zrobiłaś?! – zdziwiłam się. – Jesteś chyba z gumy?!

– Raczej jestem zwinna jak pantera – zgodziła się babcia. – Przecież jeżdżę na rowerze. A w ciągu roku chodzę na basen i na jogę.

Pani Laura zdjęła okulary przeciwsłoneczne, które zasłaniały jej pół twarzy, i z uwagą spojrzała na babcię.

– W Żabim Rogu są zajęcia z jogi?

– Co drugi tydzień, w sali gimnastycznej w podstawówce. Ale wszystkie miejsca są już zajęte – uprzedziła babcia i zaproponowała:

– Może poprowadzisz poranną gimnastykę dla dzieciaków?

Mama Flory poderwała się energicznie.

– Oczywiście! Świetny pomysł. Zakładajcie sportowe buty i maszerujemy nad rzekę.

Nie trzeba nam było dwa razy powtarzać. Wkrótce rozpoczęliśmy trening na łące nad rzeką. Tylko Flora coś marudziła o tym, jak bardzo nie lubi lekcji gimnastyki.

Najpierw rozgrzewka. Zrobiliśmy kilka skłonów i krążenie biodrami. Potem przysiady i wypady. Minipompki i ćwiczenia w parach.

– I jak, drużyno? Jesteście gotowi? – pohukiwała pani Laura po pierwszej turze ćwiczeń.

– Jesteśmy gotowi na drugie śniadanie! – zdecydowanie zareagowała Flora.

Poparliśmy ją, bo każdemu burczało już w brzuchu. Okazało się jednak, że nie nastąpi to prędko. Ćwiczenia dopiero się rozpoczynały! Wylosowaliśmy sobie numerki, a pani Laura podzieliła nas na grupy. Rywalizowaliśmy w dwuosobowych zespołach, a ona sędziowała. Były biegi, skoki w workach i skakanie jak żabka. Najwięcej zręczności wymagało przejście przez siatkę, która odgradzała łąkę babci od sąsiedniej posesji z wielkim placem zabaw.

Mój zespół składał się ze mnie i z Franka. Okazało się, że ja, szefowa Tajnego Klubu Superdziewczyn, wcale nie wygrałam tych zawodów. Flora i Faustyna były od nas o niebo lepsze. Nie ma co się dziwić, w końcu, kiedy poznałam Fau, nazwałam ją dziewczyną-pająkiem.

Zastanawiam się jednak, czy sędzia był sprawiedliwy. Franek też miał pewne podejrzenia, i syknął mi do ucha:

– Sędzia kalosz!

Ale nic to! Przed nami chyba najważniejsze wydarzenie tych wakacji – wreszcie wybieramy się do biblioteki!

Bibliotekarka Hela przyszła po nas jeszcze przed południem. Niecierpliwiliśmy się już trochę i obawialiśmy się, że jednak nie dotrze. Kiedy wreszcie się pojawiła, rozpromieniliśmy się. Franek zauważył ją, kiedy była przy furtce, więc pognaliśmy na powitanie.

Miała na sobie długą błękitną spódnicę, do tego białą bluzkę i ten sam słomkowy kapelusz, spod którego wystawały kosmyki rudych włosów. Faustyna oczywiście nie omieszkała zaznaczyć:

– Teraz jeszcze bardziej przypominasz Anię z Zielonego Wzgórza.

– Poczytamy sobie dzisiaj trochę o Ani – zapewniła Hela.

– A czy ma pani książki o wynalazkach? – zapytał Franek.

– I o kosmosie! – dodała Flora.

Hela uśmiechnęła się:

– Bez obaw. W naszej bibliotece znajdzie się coś ciekawego dla każdego z was. A teraz – w drogę!

Pani Laura postanowiła zostać i zażywać kąpieli słonecznych w ogrodzie. Zapowiadało się bardzo ciepłe popołudnie. Babcia też miała inne zajęcia. Wyprawa była tylko dla nas!

Szliśmy gęsiego wąskim chodnikiem, który piął się wysoko pod górę. Było upalnie, ale nas okrywał przyjemny cień starych lip posadzonych wzdłuż drogi. Wokół roznosił się słodki zapach lata.

– Tak pięknie pachną tylko lipy! – z zachwytem powiedziała Hela.

Wciągaliśmy nosem powietrze, żeby poczuć wspaniały, słodki zapach. Franek dodał:

– Babcia nam mówiła, że lipy to drzewa długowieczne. Najstarsza lipa w Polsce ma ponad pięćset lat!

– O tak! Nasze lipy też są wiekowe – odpowiedziała Hela. – Może nie mają pół tysiąca lat, ale rosną tutaj od czasu, kiedy ponad trzysta lat temu założono wieś.

– Czemu właściwie drzewa tak pachną? – zastanawiała się Flora.

– Latem wszystkie rośliny konkurują o pszczoły! Lipa jest specjalistką i przyciąga mnóstwo owadów. Daje tyle aromatycznego nektaru, że pszczoły bardzo chętnie do niej przylatują – wyjaśniła Hela.

– A potem mamy mnóstwo pysznego lipowego miodu. Ja już byłem w pasiece – z dumą oświadczył Franek.

Hela zaraz nam powiedziała, że w Żabim Rogu też jest pasieka i że możemy tam się wybrać.

– A ja myślałam, że w Żabim Rogu są same żaby – zarechotała Flora.

„Hmm... zupełnie jak jedna z nich" – pomyślałam.

– O żabach z Żabiego Rogu jeszcze wam opowiem – tajemniczo oświadczyła Hela.

I tak wesoło gawędząc, wdychając aromat lipowych kwiatów i chowając się przed słońcem, dotarliśmy do punktu przeznaczenia.

Na końcu drogi, za szkołą, stał drewniany dom z gankiem. Był stary. W różnych miejscach odpadała z niego farba, ale zachował piękny szary kolor. Białe okiennice ładnie kontrastowały z jego ciemnym dachem.

– Tutaj jest nasza biblioteka – Hela z dumą zaprezentowała swoje królestwo.

Chyba wszyscy byliśmy pod wrażeniem. Budynek wyglądał i pięknie, i tajemniczo.

Bez słowa wspięliśmy się po drewnianych schodkach na zacieniony ganek porośnięty pnączami. Stały tu donice z kwitnącymi różnokolorowymi kwiatami. Z boku umieszczono metalowy stolik, a wokół niego krzesła wyścielone poduchami.

– To przytulna czytelnia pod chmurką – wyjaśniła Hela. – Siadajcie, przyniosę na ochłodę naszą biblioteczną lemoniadę.

Wróciła po chwili z pokaźnym dzbanem w ręce.

– Biegnij po szklanki. Zostawiłam je w pierwszej sali od wejścia – zwróciła się do Franka.

Uradowany, wystartował do środka. Wkrótce dołączył do nas z naczyniami upchanymi w koszyku i bardzo zadowoloną miną. Spojrzałyśmy na niego pytająco. Wzruszył ramionami:

– Jako pierwszy z Tajnego Klubu Superdziewczyn przekroczyłem próg biblioteki! – oświadczył. – I chyba coś mi świta!

– Nie jesteś przyjęty do Tajnego Klubu Superdziewczyn! – kolejny raz przypomniała mu Flora, a on oczywiście nic sobie z tego nie robił.

Pospiesznie wypiliśmy pyszną lemoniadę i byliśmy gotowi do zwiedzania biblioteki.

Na znak Heli ustawiliśmy się gęsiego. Pomieszczenia były małe, a korytarze wąskie, więc musieliśmy stać bardzo blisko siebie.

Wewnątrz biblioteki otoczył nas przyjemny chłód. Wąskie, błękitne drzwi prowadziły do hallu, skąd można było się dostać do kilku innych pomieszczeń. Nad drzwiami do nich wisiały drewniane tabliczki ze starannie wypisanymi hasłami:

TYLKO DLA DZIECI

JEŚLI MASZ JUŻ 12 LAT, WEJDŹ TU

TYLKO DLA ROMANTYKÓW

Obok każdego napisu narysowana była żaba. Jedna z bukietem kwiatów, druga w koronie, a jeszcze inna na hulajnodze.

Była też tabliczka z informacją „DLA DUŻYCH", która kierowała na piętro.

Tylko jedne drzwi, te w głębi hallu, nie miały tabliczki i różniły się od pozostałych. Były bardziej odrapane, a ich klamka smętnie zwisała. To właśnie te drzwi przykuły moje spojrzenie.

Tymczasem Faustyna, nie zwracając uwagi na tajemnicze wejście, zapytała:

– A do którego pokoju mamy wejść?

– Idźcie za mną – zaproponowała Hela. Założę wam karty biblioteczne.

Weszliśmy do małego pokoju. Był naprawdę bardzo malutki. Tyci. Pod ścianą stało staroświeckie biurku w kolorze błękitnym. Obok ustawiono regał z mnóstwem malutkich szufladek.

– Co jest w tych szufladkach? – zainteresowała się Flo, a ja ciekawa pognałam za nią.

Zaczęłyśmy otwierać szufladkę za szufladką.

– Eeee – westchnęłam – Tu nic nie ma. Same karteczki!

– To jest katalog alfabetyczny naszego księgozbioru. A te fiszki to karty książek – objaśniła nam Hela. – Taki katalog to już dzisiaj rzadkość. Obchodźcie się z nim bardzo ostrożnie. – Wyjęła z szufladki karteczkę i mówiła dalej. – Na każdej fiszce zapisane jest wszystko, co wiemy o książce – tytuł, autor, rok wydania…

– A ja korzystam z biblioteki, która ma wszystko w komputerze! – przerwał jej Franek.

Hela wskazała na sprzęt stojący na biurku.

– My też mamy wszystko w komputerze. Na pewno dzięki niemu łatwiej wyszukiwać tytuły, które cię zainteresują. Ale ten papierowy katalog cały czas jest z nami. To tradycja.

– Uff – odetchnął Franek. – A już myślałem, że aby rozwiązać zagadkę, będziemy musieli przewertować tysiące kartek z tych szufladek!

– Wciągnęliście się w tę zagadkę, co? – zauważyła Hela.

– Jasne. Zadaniem Tajnego Klubu Superdziewczyn jest rozwiązywanie zagadek – oświadczyłam z powagą.

Potem Hela zabrała nas do sali oznaczonej żabą na hulajnodze. Okazało się, że to miejsce dla dzieci. Znajdował się tam materac, zabawki i oczywiście dziecięcy księgozbiór. Szkoda nam było czasu na zabawy, więc postanowiłam przyspieszyć rozwój wypadków:

– Helu, już wiesz, że jesteśmy Tajnym Klubem. A my dorosłych wtajemniczamy w nasze sprawy rzadko.

– No właśnie – zawtórowała mi Flo.

– Ale tym razem potrzebujemy pomocy. Opowiedz, co naprawdę wydarzyło się w bibliotece? – ciągnęłam.

– Cóż... – bezradnie rozłożyła ręce Hela. – Giną nam książki i jak dotąd nie wracają. To tyle.

– Ale przecież musiałaś coś zauważyć – niecierpliwie wierciła się Flora. – Może są tu jakieś ślady.

Hela bez słowa podeszła do biurka i przyniosła wielki zeszyt w błękitnej oprawie.

– To jest dziennik biblioteki.

– Zupełnie jak nasze Tajne Dzienniki Tajnego Klubu – ucieszyłam się.

Hela dodała:

– Prowadzę ten dziennik od dwóch lat, odkąd objęłam stanowisko kierowniczki. Spisuję ważne wydarzenia: kto nas odwiedzał, jakie potrzeby mają nasi czytelnicy. Jeśli coś istotnego wydarzyło się w bibliotece, powinno to być zapisane właśnie tutaj.

Franek przechwycił dziennik z rąk Heli i zaczął go pospiesznie przeglądać.

– O! – zauważył. – W zeszłym tygodniu trzy razy książki wypożyczał Kostek. W tym tygodniu byli tu jacyś Jaś i Małgosia.

– Jaś i Małgosia to kuzyni Kostka. A on sam odwiedza często bibliotekę. Urządził naszą czytelnię pod chmurką.

– Myślałam, że Kostek zajmuje się tylko końmi – rzuciła Flora. – Tę Malagę to chyba lubi najbardziej.

– Malaga to mój koń – nieoczekiwanie oświadczyła Hela. – Tyle, że mieszka w stajni Kostka.

– Dziwne – skwitował Franek. – Nic nie mówiłaś, że masz konia.

Hela poczerwieniała, jakby ukrywała jakąś tajemnicę.

Nie wiedzieliśmy, co robić, więc na wszelki wypadek wszyscy wlepiliśmy wzrok w dziennik.

– Z podsumowania roku szkolnego wynika, że najwięcej książek wypożyczył Marek. Marek Kowalski. A najwięcej zgub miała Małgosia – podsumował Franek.

Podczas gdy my wertowaliśmy dziennik biblioteki, Hela spokojnie parzyła herbatę w wielkim metalowym czajniku. Tu i ówdzie nosił ślady długiego użytkowania.

Wtedy coś zaświtało mi w głowie:

– A dokąd prowadzą te podrapane drzwi? – zapytałam.

– Podrapane drzwi? – zdziwiła się Hela. – A... masz na myśli nasz magazyn. Kiedyś przechowywaliśmy tam książki, zanim je wciągnęłam do księgozbioru. Teraz nowości mamy coraz mniej. Oszczędzamy. W magazynie pewnie urzędują myszy...

– Ale czy możemy tam wejść? – włączył się Franek. – To ważne dla powodzenia naszej misji.

– To graciarnia. Pełno tam kurzu – ucięła Hela.

Po chwili zaczęła podawać herbatę w małych metalowych kubeczkach.

– Czy Tajny Klub wpadł już na jakikolwiek trop? – zapytała, nalewając napój pachnący miętą.

– Pracujemy nad tym – oświadczył Franek.

Pałaszowaliśmy kruche ciasteczka, do tego jagody z cukrem i piliśmy herbatę. Franek nie poddawał się i ciągle mówił o śledztwie. Oboje snuliśmy domysły na temat tajemnicy biblioteki.

– Skoro najczęściej ostatnio bywał tu Kostek, a poza nim tylko Jaś i Małgosia, która zresztą jest rekordzistką w gubieniu książek, a najwięcej książek wypożyczył w ciągu roku szkolnego Marek Kowalski, to... – Franek zawiesił głos.

– To możemy przyjąć, że listę podejrzanych mamy gotową – powiedziałam z przekonaniem.

– Na liście są więc: Jaś i Małgosia, Marek i Kostek! – triumfalnie ogłosiła Flora.

– Jak na to wpadłeś, Kajetanie?* – tajemniczo zapytała Hela.

---

* *Jak na to wpadłeś, Kajetanie?* – słynne zdanie z książki Macieja Wojtyszki pt. *Tajemnica szyfru Marabuta.*

Roześmialiśmy się. Przecież nie było tu żadnego Kajetana! Ja jednak szybko przestałam się śmiać. Zrozumiałam! Przypomniałam sobie, że na liście zagubionych książek była *Tajemnica szyfru Marabuta**. To ulubiona książka mojego taty! O Brombie, Kajetanie Chrumpsie i Kocie Makawitym. Co tu jest właściwie grane?

* *Tajemnica szyfru Marabuta* – powieść detektywistyczna dla dzieci, napisana w 1981 roku przez Macieja Wojtyszkę. W centrum akcji są nieustraszeni detektywi – Kajetan Chrumps i Kot Makawity.

NA JAGODY

Wtajemniczyłam członkinie Klubu Superdziewczyn w kwestię *Tajemnicy szyfru Marabuta*. Franka też wciągnęłam do dyskusji. Często jest pomocny, a ja nie chciałabym, aby czuł się przez nas odrzucony. Nie mogliśmy znaleźć żadnego związku między bohaterami książki a tajemniczymi zniknięciami woluminów z biblioteki.

– Musimy wypożyczyć tę książkę – oświadczył Franek. – Na pewno kryje rozwiązanie tajemnicy.

– Przecież jest na liście książek zaginionych – przypomniała Faustyna.

Franek zmarkotniał:

– Szkoda, że nie mamy tutaj komputera. Moglibyśmy kupić e-booka.*

– Moja babcia ma komputer – zapewniłam.

– Naprawdę? – zdziwiła się Flo.

Okazało się jednak, że chociaż babcia miała laptopa, to w Żabim Rogu internet był dostępny tylko w dwóch miejscach – w szkole i bibliotece. A przecież w trakcie wakacji szkoła jest zamknięta! Więc nici z kupowania e-booka przez internet.

– Trudno – zakończyłam dyskusję. – Musimy sobie radzić bez tej książki. Na pewno jest jakieś wyjaśnienie. Mówię wam, że powinniśmy zbadać nieużywany magazynek w bibliotece.

– Ale jak? – gryzł się Franek. – Przecież nie możemy się tam włamać!

– A gdyby tak wybrać się na nocną wycieczkę i zupełnie przypadkiem zabłądzić w okolice biblioteki? – zaproponowała Flo. – I wejść tam, na przykład przez okno?

Miałam pewne wątpliwości.

– A jak się tam dostaniemy bez klucza? – Ale zaraz zaświeciły mi się oczy. – Byłam na nocnej wycieczce z Anielą! Kiedyś, na zielonej zerówce, śledziłyśmy Amelię, asystentkę profesora Kaganka! I tego małego!

---

* e-book – książka w wersji elektronicznej; kupujemy ją przez internet i zapisujemy w komputerze lub specjalnym czytniku.

– Docenta Krawata – przypomniał mi Franek.

– Tak! Ale miałyśmy latarki i linkę. Chyba widziałam u babci takie rzeczy – dodałam.

– Czy to nie jest właśnie włamanie? – wtrąciła się milcząca dotąd Faustyna.

– Idziemy na nocną eskapadę! – zakrzyczeliśmy Fau.

Nie mieliśmy jednak pomysłu, jak dostać się do środka. Ale to nic. Później coś wymyślimy. Mieliśmy jeszcze czas, a teraz cieszyliśmy się na inną wyprawę – czekała nas wycieczka do lasu.

Tego ranka pani Laura tuż po śniadaniu poprosiła nas o założenie długich spodni i bluz z długimi rękawami. Mieliśmy też zabrać czapki albo chustki na głowę.

– W lesie jest mnóstwo owadów. Są muchy, kleszcze i komary. Mogą być wami bardzo zainteresowane. Lepiej się przed nimi skutecznie ochronić.

– Czytałem, że komar ma bardzo skomplikowany aparat gębowy – poinformował nas Franek. – Nam się wydaje, że to jakby igła, a naprawdę to giętka rurka, która się rozgałęzia.

Flora wykrzywiła się.

– Aparat gębowy? Co to jest? – zdziwiła się.

Wtedy Franek wyjaśnił, że to naukowa nazwa tej części głowy owadów, którą zdobywają pożywienie.

– Czyli to pyszczek? – chciała upewnić się Fau.

– Można tak powiedzieć – zgodził się Franek.

– A ponieważ komary i muchy mogą mieć aparaty kłujące, to zabieramy się za smarowanie – pani Laura przerwała naszą debatę.

Wyciągnęła torbę pełną buteleczek i tubek. Starannie wybrała kilka z nich, po czym spryskała nas specyfikiem, który miał odstraszać komary i kleszcze. Wkrótce staliśmy w chmurze oparów środków owadobójczych.

Babcia zaczęła potężnie kichać.

– Teraz na pewno żaden komar was nie dotknie – powiedziała i dodała: – Ale zamiast chemii, lepiej zabezpieczać się olejkiem cytrynowym. To naturalny sposób na insekty.

Pani Laura była jednak innego zdania i twierdziła, że tylko chemia da radę komarom.

– A co będziemy robić w lesie? – zaczęła się dopytywać Fau.

– Wybieramy się na jagody – oświadczyła babcia.

– Na jagody? – zdziwiła się pani Laura. Sądziłam, że już nie zbiera się w lesie owoców, bo mogą być skażone spalinami.

– Żabi Róg leży z dala od autostrad, fabryk i chemii. Nasze jagody są bardzo zdrowe – odrzekła babcia i wręczyła każdemu z nas koszyczek. W środku znaleźliśmy niespodzianki! Babcia przygotowała każdemu z nas przekąskę – zestaw placuszków i kanapek. Gotowa byłam przymknąć nawet oko na to, że to kanapki z sałatą.

Wymaszerowaliśmy dziarsko z domu. Kiedy minęliśmy podwórze, tuż za bramą czekała na nas grupka osób. Hela, Kostek i… hm, para, której nie znaliśmy. Dziewczyna i chłopak, bardzo do siebie podobni.

– Kogo tu mamy… – mruknął Franek. – Wszyscy podejrzani….

– A ci obok Kostka to pewnie Jaś i Małgosia – szepnęła Flora.

– Pst! – usłyszeliśmy nad głowami.

Pani Laura przywoływała nas do porządku.

– Jacy podejrzani? Pierwszy raz widzicie ich na oczy. Bądźcie mili.

Na widok grupy babcia zawołała:
– O! Są i nasi zbieracze jagód!
Hela, Kostek i dzieciaki, których jeszcze nie znaliśmy, uśmiechnęli się szeroko na powitanie.
– Przedstawiam wam Jasia i Małgosię. Jak widzicie to bliźniaki. Przebywam z nimi bardzo często! – Kostek przedstawił dzieciaki, a bliźniaki uśmiechnęły się do nas jeszcze radośniej.
– Wiemy – skwitował Franek. – Małgosia zapisała się na dobre w kronikach biblioteki! Rekord zagubionych książek!

Małgosia przymrużyła oczy i pokazała Frankowi język. Jaś nie pozostał dłużny i przechwalał się:

– Ja też mam rekord na koncie! Malaga zrzuciła mnie z grzbietu dziesięć razy w ciągu jednego dnia!

Kostek westchnął głośno:

– Nie jest nam ze sobą łatwo.

Wtedy przypomniałam sobie o liście zagubionych książek i zapytałam:

– A czy wiecie coś o *Tajemnicy szyfru Marabuta*?

Jaś i Małgosia odpowiedzieli chórem:

– Jak na to wpadłeś, Kajetanie?! – i zachichotali.

Spojrzeliśmy na siebie zaskoczeni. Faustyna potajemnie ścisnęła mnie za rękę. Co to wszystko ma znaczyć? Czy to jest jakiś tajny kod?

Potem wyruszyliśmy gęsiego w stronę biblioteki. I znowu mijaliśmy lipy, które pachniały latem. Nad ścieżką pracowicie uwijały się pszczoły.

Dobrnęliśmy na szczyt wzgórza, minęliśmy książkowe królestwo Heli i dalej poszliśmy wśród pól. Na obrzeżach upraw rosły maki, rumianki i chabry.

– Takie same kwiaty, jak u babci w wazonie – zauważyła pani Laura.

– Polne kwiaty chętnie rosną wśród zbóż. To po prostu chwasty – wyjaśnił Kostek.

Słońce przygrzewało coraz mocniej, a my biegaliśmy wzdłuż dojrzewających upraw. Zerwałyśmy kilka maków i chabrów, aby je zasuszyć w naszych Tajnych Dziennikach.

Potem Hela nauczyła nas piosenki zbieraczy jagód, której słowa były mniej więcej takie:

Oczka mamy czarne, buźki granatowe,
a sukienki są zielone i seledynowe.
A kiedy dzień nadchodzi, dzień nadchodzi,
idziemy na jagody, na jagody...

Wreszcie dotarliśmy na skraj lasu, gdzie mogliśmy się ukryć w przyjemnym cieniu.

– Zanim wejdziemy głębiej, pogadajmy o zasadach leśnych wycieczek – oznajmił Kostek, kiedy przysiedliśmy na małej polance.

A Hela zaznaczyła:

– Hałasując, straszymy zwierzęta.

Kostek objaśniał dalej:

– Nie podjadacie niczego z krzaków, chyba że dostaniecie od dorosłego zielone światło. Nie odłączacie się od grupy, nie wchodzicie głęboko w chaszcze.

– Czy są tu wilki? – zapytała Flora.

– Wilki rzadko zapuszczają się w okolice Żabiego Rogu – powiedział Kostek. – Ale można tu spotkać sarny, a nawet dziki.

– Ja chciałabym zobaczyć sarnę! – zawołała Faustyna.

Flora i ja też bardzo chciałyśmy zobaczyć jakieś leśne zwierzę.

Jednak ani Franek, ani bliźniaki nie byli tym zainteresowani. Twierdzili, że wiele razy widzieli i sarny, i dziki.

– Ciekawe, gdzie spotkałeś sarny i dziki? – oburzyła się Flo. – Sam mówiłeś, że pierwszy raz jesteś na wsi.

– W zoo – spokojnie wyjaśnił Franek.

Wtedy zaczęli się sprzeczać. Flora uważała, że to nie to samo, co zobaczyć dzikie zwierzę w lesie.

– Zwierzęta mamy szansę zobaczyć tylko wtedy, kiedy będziemy naprawdę bardzo cicho – przypomniała babcia.

A Kostek obiecał:

– Spróbuję coś zorganizować. Może uda się nam wypatrzyć sarnę.

Potem rozeszliśmy się na poszukiwanie jagód. Dzieciaki nie mogły odłączać się od dorosłych, więc już wcześniej Kostek podzielił nas na grupy.

Hela i ja udałyśmy się w kierunku polanki porośniętej mchem i paprociami. Od razu natrafiłyśmy na mnóstwo jagód.

– Wielka jagodnia – oceniła Hela, rozglądając się wokół. – Owoców starczy dla wszystkich.

Mnie zaskoczyło jednak to, że wokół nagle zapanowała cisza. Poza nami, na polance nie było już nikogo.

– Gdzie oni są? – zaniepokoiłam się. – Przecież mieliśmy się trzymać razem.

– Wszyscy już pracowicie pochylają się nad krzaczkami jagód – wyjaśniła Hela. Potem wskazała na krzewy nieopodal i zawołała:

– Spójrz, Emi! Tam, za malinami, ukryli się babcia i bliźniaki.

– To w lesie rosną maliny? – zapytałam. – Pycha! Uwielbiam maliny.

Hela wytłumaczyła mi, że to dzikie leśne maliny i że nie są tak duże i soczyste jak ogrodowe. A potem wypatrywała kolejnych jagodników.

– Dalej, za tym małym zagajnikiem widzę Kostka z Frankiem.

Rzeczywiście! Przycupnęli wśród zieleni.

– Weźmy się teraz za zbieranie borówek. Mamy chyba najlepsze jagodowe miejsce w lesie. Będzie mnóstwo owoców do bułeczek drożdżowych i deserów – powiedziała Hela i przykucnęła wśród krzaczków jagód.

– Tutaj są tylko małe truskawki – zapiszczałam. – I nie wiem, co to są te borówki.

Hela cierpliwie wyjaśniała.

– Borówki to właściwa nazwa jagód. A te czerwone owoce, które wyglądają jak miniaturowe truskawki, to poziomki.

Potem dokładnie sprawdzała każdy krzaczek w poszukiwaniu owoców. Zrywała je pełnymi garściami i sypała do koszyka. Wkrótce był już prawie pełny. Mnie nie szło tak dobrze. Moje zbiory były tycie, chociaż starałam się naśladować Helę.

– Zobacz, Helu, ja chyba mam za małe ręce i dlatego idzie mi tak słabo – narzekałam. Było mi trochę wstyd, bo przecież jestem szefową Tajnego Klubu Superdziewczyn.

Ale Hela mnie pocieszała.

– Emi, to twój pierwszy raz. Dopiero się uczysz. Dorzucę ci trochę jagód, bo u mnie już się nie mieszczą.

I pokazała mi koszyk wypełniony po brzegi niebieskimi i czerwonymi owocami. Pisnęłam z zachwytu.

– Jak to zrobiłaś?

– Jestem pracowita jak mrówka – odrzekła Hela. – Ale uwaga, właśnie zbliżamy się do mrowiska, a mrówki nie lubią intruzów.

Ostrożnie obeszłyśmy królestwo mrówek i poszłyśmy dalej. Hela rozejrzała się i powiedziała:

– Wracamy do choinek. W lesie liściastym nie znajdziemy tylu borówek.

Pokiwałam głową ze zrozumieniem i posłusznie udałam się za nią.

Ku nam zmierzali już Franek z Kostkiem i Faustyną, a za nimi szła babcia z bliźniakami.

Franek pokazał z dumą swój koszyk.

– Udało mi się natrafić na kurki i borowiki!

– Mieliśmy zbierać borówki! – oświadczyłam, bo sama też wolałabym pójść na grzyby.

– Borówkę czarną też mamy – stwierdził Franek, a Kostek pokazał dwie wypełnione po brzegi łubianki.

Teraz dopadły do nas bliźniaki. Też mieli mnóstwo jagód.

– O! Pieprzniki! – Jaś przejrzał koszyk z grzybami. – I do tego prawdziwki! – dodał z podziwem.

– Jakie pieprzniki? – Franek był zaskoczony.

Okazało się, że pieprzniki to inna nazwa kurek. Babcia zastrzegła, że będziemy mogli zjadać tylko żółte grzyby, bo inne nie są dozwolone dla dzieci.

Wróciliśmy na polankę, z której rozeszliśmy się szukać jagód. Nadal jednak nie byliśmy w komplecie – brakowało pań Zwiędły.

– Mam nadzieję, że nie zabłądziły – martwiła się babcia.

– Możemy ich poszukać – zaofiarowały się bliźniaki.

Kostek stwierdził, że to nie jest najlepszy pomysł, bo za chwilę zgubimy się wszyscy i każdy każdego będzie szukał.

Rozsiedliśmy się więc wygodnie pośród mchu i paproci.

– Ale miękkie siedzenie! – zauważyła Fau.

Zajadaliśmy smakołyki, które przygotowała nam na wyprawę babcia.

Kiedy spokojnie przegryzaliśmy, Kostek dał nam znak, abyśmy się uciszyli i popatrzyli wysoko na drzewa. Nad nami na gałęzi siedział ptak z pomarańczowo-czarnym czubkiem.

– To dudek – wyjaśnił Kostek. – Mieszka w jakiejś dziupli w okolicy.

Na innym drzewie zobaczyliśmy dzięcioła. Był cały czarny, tylko na czubku głowy miał małą czerwoną „czapeczkę". Usłyszeliśmy też, jak rytmicznie uderza dziobem w drzewo.

– Wykuwa dziuplę, a przy okazji wydobywa spod kory owady – mówił dalej Kostek.

– Czy zobaczymy puchacza? – zapytała Faustyna.

– Chciałabyś dostawać listy jak Harry Potter*? – zażartował Franek.

– Puchacz jest największą polską sową – opowiadał Kostek. – Ma świetny wzrok i słuch, więc pewnie już wie, że jesteśmy w lesie. Ale odezwie się dopiero nocą.

Nagle usłyszeliśmy pohukiwanie.

– Hu-hu! Hu-hu! – A potem: – He-he! He-he!

– To sowy? – zapytałam.

* Harry Potter – chłopiec-czarodziej, bohater serii bardzo popularnych książek autorstwa J.K. Rowling.

Babcia i Kostek spojrzeli na siebie porozumiewawczo, a my wstaliśmy. Głosy przybliżały się.

Wkrótce zza krzaków na polanę wkroczyły pani Laura i Flora. Na ich widok wybuchnęliśmy śmiechem. Obie mały granatowe usta i umorusane buzie.

– Co was tak rozśmieszyło? – obruszyła się pani Laura. – Mamy prawie cały koszyk jagód.

– A jeszcze więcej w brzuchach – śmiała się babcia.

Rzecz jasna, Flora pokazała nam język, ale zareagowaliśmy kolejnym atakiem śmiechu. Język Flory był tak samo granatowy jak jej usta.

– Nie da się ukryć, że podjadałyście. Wasze buzie są granatowe. Jak w tej piosence – wytłumaczyła Hela.

Znowu zarechotaliśmy. Pani Laura i Flora są jagódkami!

– Wesoła zgrajo, proszę o ciszę. Może uda się nam zobaczyć sarnę albo jeża – uspokoił nas Kostek.

Obładowani koszykami jagód i grzybów w ciszy pospieszyliśmy za Kostkiem.

Las się przerzedzał i tylko gdzieniegdzie widzieliśmy świerki i sosny. Ich miejsca zajęły brzozy i inne drzewa liściaste. Babcia wyjaśniła nam, że to buczyna, czyli las, w którym najwięcej jest buków. Potem drzewa stawały się coraz niższe i wreszcie zastąpiły je krzewy. Niektóre miały nawet owoce, ale poza malinami i jeżynami, nie wolno nam było nic zrywać. Wreszcie i krzewy się przerzedziły, a my weszliśmy w trawy i jakieś zielska.

Przed nami rozpościerała się łąka, cała skąpana w słońcu. Zasapani, chcieliśmy klapnąć na trawę, ale Kostek nas zatrzymał:

– Sarny wychodzą tu na żer. Jeśli będziemy mieli szczęście, może je zobaczymy.

Staliśmy bez ruchu, uważnie patrząc pod nogi. Okazało się, że w lesie, na polanie i na łące możemy spotkać zaskrońca albo padalca. Nie mówiąc już o dżdżownicach, żabach czy ślimakach.

Sarnę wypatrzyła Faustyna.

– Jest! – pisnęła i pokazała na przeciwległy skraj lasu.

– Psst! – uciszyła nas Hela, bo wydaliśmy okrzyk radości.

Sarna przystanęła pod lasem i zastygła nieruchomo. Była piękna – smukła, na wysokich nogach, wyglądała jak jakiś posąg. Jej rudobrązowa sierść wyraźnie odcinała się od zieleni roślin i dzięki temu mogliśmy ją obserwować. Niedługo jednak cieszyliśmy się widokiem sarny. Po chwili zwierzę podniosło głowę i zgrabnie unosząc racice, zniknęło w gęstwinie. Najwyraźniej wyczuło naszą obecność albo coś je spłoszyło.

– Oooo! – westchnęliśmy rozczarowani.

– Nie narzekajcie – powiedziała babcia. – To pewnie pierwsza sarna, jaką widzieliście. A teraz maszerujemy na obiad. Wszystkim już burczy w brzuchu.

Babcia miała rację. Pomimo niedawnego posiłku, mój brzuch wydawał już najróżniejsze dźwięki na znak, że jest bardzo głodny.

Ruszyliśmy więc w drogę powrotną, ścieżką wśród pól. Bliźniaki na przemian wyliczały nazwy upraw, jakie mijaliśmy: rzepak, tytoń, żyto, owies, konopie. Hela tłumaczyła do czego się je wykorzystuje. Na przykład z konopi robi się sznurek albo tkaniny.

Kiedy dotarliśmy do upraw ze zbożem, bliźniaki nagle wbiegły z wrzaskiem na pole.

– To nasza miedza!

Kostek pokręcił głową i uśmiechnął się szeroko.

– Niesforne dzieciaki! – krzyknął, a nam wyjaśnił: – Miedza to taka granica. Dzieli pola albo uprawy.

Nie miałam pojęcia, że pola i lasy są takie ciekawe! Hela mówi, że las to wielki organizm, w którym zwierzęta i rośliny, nawet najmniejszy robaczek, mają swoje ważne zadania. Mega!

Bliźniaki dołączyły do nas, hałasując, całe umorusane i z kłosami niedojrzałego żyta we włosach.

– W polu mogą żerować polne myszy! – ostrzegał ich Franek.

– Tak jest, Kajetanie! – przytaknęli, chichocząc na zmianę.

Jestem już całkiem pewna, że coś knują.

Za to Faustyna zastanawiała się na planem jutrzejszego dnia.

– Co będziemy robić jutro? – zapytała. – Może odwiedzimy Malagę?

– Dobry pomysł. Potem możemy zbudować szałasy nad rzeką – zaproponował Kostek.

Pomysł został przyjęty z entuzjazmem:

– Taaaaakkk! – z gardeł wyrwał się dziki aplauz.

Tylko ja nie krzyczałam tak głośno, jak inni. Cały czas podejrzliwie patrzyłam na bliźniaki.

BUDUJEMY SZAŁAS. W BIBLIOTECE GINIE BIAŁY KRUK

Spotkanie z Malagą zaskoczyło nas wszystkich. Kiedy pojawiliśmy się rano w stajni, i Malaga, i kuce radośnie potrząsały łbami na nasz widok. Widocznie po kilku wizytach w boksach ich mieszkańcy już nas dobrze zapamiętali. Błyskawicznie je wysprzątaliśmy. Już nie straszne nam było rzucanie świeżej słomy czy wynoszenie brudnej.

– Szkoda, że w domu nie ma z was takiego pożytku – komentowała pani Laura.

– Czy możemy mieć w domu konia? Sprzątałabym mu codziennie! – zapewniała Flora.

Jej mama była innego zdania.

– Mieliśmy już psa, chomika i kota. Za każdym razem twój zapał do opieki nad zwierzęciem znikał po kilku dniach.

– Ale teraz jestem w Tajnym Klubie Superdziewczyn! – oświadczyła Flo. – I jestem zdyscyplinowana!

– Florciu, koń to wielka odpowiedzialność, i koszty. Nie mamy takich możliwości w mieście – ucięła rozmowę pani Laura.

A my rozdaliśmy kucykom marchewki, które natychmiast zostały schrupane. Malaga była właśnie po śniadaniu, więc na swoją porcję marchewek musiała trochę poczekać.

– Boksy wysprzątane, konie nakarmione i zadowolone, więc należy się nagroda – tajemniczo obwieścił Kostek.

Natychmiast podchwyciliśmy.

– Jaka nagroda?

– Toczki na głowy i jazda, na koń! – zawołał. – Jeździcie z przerwami, żeby nie zamęczyć Malagi.

Poklepaliśmy Kostka z radości, taką nam sprawił frajdę.

– Mega! Jesteś Kostkiem Wielkim. Tajny Klub Superdziewczyn rozważy przyznanie ci medalu – oznajmiłam.

Kostek ukłonił się głęboko:

– Do usług!

Pierwsza dosiadła konia Faustyna. Jeździ już bez lonży, czyli linki, która służy do prowadzenia konia. Faustyna ma fart! Na ósme urodziny dostała od rodziców karnet na lekcje jazdy konnej. Teraz potrafi prawie wszystko – nawet galopować.

Ja wskoczyłam na Malagę jako druga. Zrobiłam kilka okrążeń, a Kostek uczył mnie, jak utrzymywać równowagę. Od stępa przeszłyśmy w kłus, a Malaga niosła mnie lekko i zwinnie. Szeptałam jej do ucha czułe słówka. Trochę przytulałam się do jej karku. I wcale nie chciało mi się kończyć jazdy. Ale wkrótce mój czas minął i musiałam się z tym pogodzić. Oddałam toczek Florze, która jechała po mnie.

Kiedy zsiadłam z konia, Kostek zarządził przerwę.

– Teraz Malaga musi odpocząć. Niech odsapnie, a wy w tym czasie zjecie drugie śniadanie. Postanowiliśmy, że damy jej porcję obiecanych marchewek. Zasłużyła.

W czasie przerwy my też schrupaliśmy marchewki.

– Szkoda, że w Żabim Rogu nie ma pizzerii – rozmarzyła się Flo.

– Moglibyśmy zamówić tę ekologiczną pizzę, pamiętasz? – zapalił się Franek.

Flora skinęła głową i uśmiechnęła się promiennie.

Nie mogłam w to uwierzyć! Jeszcze niedawno tłukli się i tarzali w sianie! A do tego ta pizza ekologiczna była pełna tych badyli, czyli szparagów. Flo sama przyznała, że to okropna pizza. Ech, to tak wygląda WM*?

Kiedy tylko zjedliśmy drugie śniadanie, dołączyli do nas Jaś i Małgosia.

Jaś zaczął się przechwalać.

– Ja znam Malagę najlepiej i świetnie sobie radzę z jazdą!

Flora spojrzała na niego z niechęcią.

– Jasne. Jesteś samochwałą! Nie widziałeś jeszcze mistrza!

–Ty jesteś mistrzem konnej jazdy? – zwrócił się do niej Jaś.

---

* WM – skrót od Wielka Miłość.

– Ja jestem tylko uczniem mistrza. Prawdziwy specjalista jest tutaj – odpowiedziała i wskazała na Faustynę.

– Phi – prychnął Jasiek w odpowiedzi. – Zaraz zobaczycie, co potrafię.

– Jasne, tylko musisz poczekać na swoją kolej – odrzekła rozdrażniona Flora.

Kostek w tym czasie też zrobił sobie drugie śniadanie. Zajadał bigos, albo coś równie okropnego, bo pachniało na całą stajnię.

– A ty nie lubisz marchewek? – zagadnęła go Faustyna.

– Wolę coś konkretnego – przyznał. – Właściwie już się najadłem. Więc na koń!

Flora ostrożnie podeszła do Malagi.

– Jeśli będziesz mnie dobrze wozić, to obiecuję ci dwie porcje marchewki – przekonywała, ale koń tylko prychnął w odpowiedzi.

Podobno konie wyczuwają niepewnego jeźdźca na odległość.

– Odejmiesz sobie od ust, bo dzisiaj na obiad babcia zrobi potrawkę z marchewki – wtrąciła się pani Laura. Zajęła wygodną ławeczkę w kącie przy wybiegu Malagi, aby obserwować poczynania córki.

Flora radziła sobie całkiem nieźle. No, może nie tak dobrze, jak Fau, ale Kostek i jej pozwolił jeździć bez lonży. Wprawdzie narzekała, że Jaś i Małgosia rozpraszają ją i nie może pokazać wszystkiego, co potrafi. Bliźniaki, jak zawsze robiły mnóstwo zamieszania. Jaś usiłował podbiec do konia, chociaż wiedział, że jego miejsce jest na ławce. Małgosia ciągle nadawała, ale nie mogłam nic zrozumieć. Zresztą Franek, Faustyna i ja zniknęliśmy po chwili. Korzystając z tego, że wszyscy są zajęci na wybiegu, myszkowaliśmy w stajni.

– Musimy sprawdzić każdy zakątek. W końcu Kostek też jest podejrzany – zadecydował w imieniu Tajnego Klubu Franek.

Wpakowaliśmy się na siano. Najpierw zajęło nas skakanie i tarzanie się. To była super zabawa! Potem wyjmowaliśmy sobie nawzajem kłujące źdźbła z włosów. Wtedy właśnie, w rogu kojca z sianem, Faustyna zauważyła coś dziwnego.

– Patrzcie – wskazała na kąt.

Spod siana wystawało coś czerwonego. Zaraz dopadliśmy to „coś".

– Dawajcie tu tego cośka! – krzyknęłam. – Tajny Klub się z nim rozprawi!

Franek sprawnie rozgrzebał siano i naszym oczom ukazał się napis:

„STARE KSIĄŻKI I INNE DROBIAZGI".

Spojrzeliśmy na siebie. Mega! Książki! To może być krok do rozwiązania tajemnicy!

Najpierw opracowaliśmy taktykę dalszych działań. Faustyna stanęła na czatach, przy samym wejściu do stajni. Na umówiony sygnał, a było to huknięcie sowy, poszukiwacze, czyli Franek i ja, mieli zamaskować skarb. Odkopywanie odbywało się stopniowo. Zdejmowaliśmy kolejne warstwy słomy i siana. Przypuszczaliśmy, że możemy natknąć się na naprawdę ciężki przedmiot. I być może cenny! Tak cenny, że od razu rozwiążemy zagadkę. Odrzucaliśmy na boki siano i słomę w snopkach. Wkrótce miałam ręce pokłute ostrymi, suchymi łodygami. Niech to! Ale nawet nie pisnęłam! W końcu ja, szefowa Tajnego Klubu Superdziewczyn, muszę dać radę.

Wygrzebaliśmy siano i starą słomę, która szczelnie przykrywała nasze znalezisko. Faustyna spoglądała na nas niespokojnie spod drzwi stajni i dawała jakieś znaki. W końcu przybiegła, bo nie mogła już wytrzymać z napięcia. Wspólnie wyciągnęliśmy nasz skarb na powierzchnię. Nie było nam łatwo. Tak jak przewidywaliśmy, natrafiliśmy na niezły ciężar. Przed nami stała czerwona drewniana skrzynia. Wieko, na której widniał napis „STARE KSIĄŻKI I INNE DROBIAZGI" było trochę podniszczone. Drzazgi odstawały z boków, a czerwona farba odpryskiwała.

– Ktoś się dobierał do naszego skarbu – szepnęła Faustyna.

– Ale i tak jesteśmy pierwsi! – triumfalnie odpowiedział Franek, wskazując na wielką, nieco zardzewiałą kłódkę, która zwisała u wieka skrzyni.

Skrzywiłam się.

– Nie ma się z czego cieszyć. Nie mamy szans, aby to otworzyć.

Wtedy Franek pokazał nam swoje dłonie. Nie miał w nich nic! Wzruszyłyśmy ramionami: co to za sztuczki! Ale zaraz zeskoczył zgrabnie ze sterty siana, na której siedzieliśmy i pognał gdzieś w głąb stajni. Wrócił z pogiętym drutem. Dopadł do skrzyni i zaczął gmerać w kłódce.

Patrzyłyśmy na niego w napięciu. Zazgrzytało i zachrobotało. Wreszcie na twarzy Franka pojawił się uśmiech.

– Jest! – rzucił dumnie. – Kłódka ustąpiła z trzaskiem. – Drogę do skarbu mamy otwartą – oświadczył Franek.

– Wieko otwieramy komisyjnie – uprzedziłam.

Wspólnie podnieśliśmy klapę skrzyni. Na wierzchu była tona kurzu. Zaczęliśmy kichać. Wtedy sobie przypomniałam.

– Pracujemy bez żadnego zabezpieczenia.

– Faustyna, wracaj na czaty! – zarządził Franek.

Ale było już za późno. Za plecami usłyszeliśmy głosy. W naszym kierunku podążali Kostek i Flora.

Ta ostatnia, bardzo zadowolona! Podbiegła do nas w podskokach.

– Ale mi się udało z Malagą. Super jazda!

Zaraz jednak spuściła nos na kwintę, bo zobaczyła, że mamy skarb!

Kostek też był blisko. Nie mieliśmy już szans na zamaskowanie skrzyni.

– Ej, czemu tu się ukrywacie? – zagadnął. – Nie widzieliście sukcesów Flory. To była prawdziwa mistrzowska jazda.

Podniosłam się i wydukałam niepewnie:

– My tu, tu ...

– No widzę, że tu – zaśmiał się Kostek.

Naraz Franek huknął:

– My tu mamy skarb!

– Mega! – ryknęła Flo. – I mnie przy tym nie było!

Obrażona obróciła się na pięcie. Spojrzałam błagalnie na Kostka i wyjaśniłam:

– Tajny Klub Superdziewczyn prowadzi dochodzenie w sprawie książek znikających z biblioteki. Chcemy pomóc Heli.

Kostek nie złościł się jednak, że bez jego wiedzy myszkowaliśmy w stajni. Przeciwnie, rozpromienił się.

– Zuchy! Tyle miesięcy szukałem tej skrzyni!

Spojrzeliśmy po sobie zdziwieni, a on klęknął i odrzucił wieko. Znowu wzbiła się tona kurzu. Kostek wyciągał ze środka po kolei opasłe tomy i czytał na głos:

– *Atlas anatomii małych zwierząt*, *Anatomia konia*.

Na sianie uzbierała się spora kupka książek. Kolejną wręczył mnie.

– *Młody jeździec*! To coś dla was. Sam się z niej uczyłem, kiedy zaczynałem przygodę z końmi. To prawdziwy skarb.

– Skarb? Jaki skarb! – rozległo się wołanie pani Laury.

Gramoliła się na siano i rozglądała z zaciekawieniem. Kiedy już wdrapała się na górę, kurz znowu wzbił się ponad nasze głowy, a ona zaczęła kichać seriami.

– Ile ja się naszukałem tych książek! To podręczniki, z których uczyłem się na studiach weterynaryjnych. Od dawna chciałem do nich wrócić. Teraz, kiedy prowadzę gospodarstwo i zajmuję się końmi, są mi bardzo potrzebne. Znaleźliście prawdziwy skarb!

Spojrzeliśmy zrezygnowani po sobie. Przecież nie o taki skarb nam chodziło!

Pani Laura, która zasłaniała sobie usta i nos, wychrypiała:

– Radzę wracać do Malagi. Bo odbywa się tam dzikie ujeżdżanie!

– Psia kostka! Zapomniałem, że Jasia nie należy zostawiać sam na sam z koniem.

Po kilku chwilach byliśmy już na wybiegu. To, co zobaczyliśmy, było bardzo zabawne. Malaga galopowała, a Jaś siedział na niej tyłem do kierunku jazdy.

W ręku trzymał linę i usiłował zakręcić nią w powietrzu nad głową.

– Jaś i Malaga są na dzikim zachodzie – wytłumaczyła nam Małgosia, która z uznaniem obserwowała poczynania brata.

Kostek sprawnie rozbroił Jasia i zakończył zabawę.

– Rozchodzimy się do własnych zajęć – oświadczył.

– A budowanie szałasu? – przypomniał Franek.

Kostek podrapał się po głowie.

– Pomyślmy, czy dzisiaj to się uda? Muszę się zająć kurami, potem przestudiować parę książek, skoro już się znalazły... – wyliczał.

Patrzyliśmy na niego zasępieni.

– Dobra! Do kolacji powinienem zdążyć. Widzimy się nad rzeką – zaproponował.

– Huurraa! – wrzasnęliśmy.

– My też huurra! – chórem dołączyły się bliźniaki.

Nie było nam to w smak, ale nie mogliśmy im odmówić wspólnej zabawy.

Kostek pojawił się tuż po kolacji. Zaraz po nim przyszły bliźniaki.

– To ostatni moment na postawienie szałasu. Trzeba go budować najpóźniej na dwie godziny przed zapadnięciem zmroku – oświadczył Kostek.

Spojrzeliśmy w niebo. Nie było jeszcze tak późno, chociaż zauważyliśmy, że słońce zachodzi już trochę wcześniej niż na początku naszych wakacji w Żabim Rogu.

Babcia zwolniła nas dzisiaj ze zmywania po kolacji i mogliśmy poświęcić się budowie szałasu.

– Czy ktoś wie, co to jest szkoła przetrwania? – zapytał Kostek, kiedy wszyscy znaleźliśmy się na łące nad rzeką.

Franek energicznie podniósł rękę do góry i wyrecytował:

– To taki program przygodowy w telewizji. Już wiem! W Diskowery Czanel*!

– Też – odpowiedział Kostek. – Szkoła przetrwania to sposób, w jaki radzimy sobie w dzikim otoczeniu, bez elektryczności i innych udogodnień współczesnego świata.

– To będziemy się teraz w to bawić? – Florze już spodobał się ten pomysł.

– Pierwszym krokiem w szkole przetrwania będzie nauka budowy szałasu – wyjaśnił Kostek.

Najpierw dowiedzieliśmy się, jak i gdzie budować. Na pewno nie pod drzewami, bo w czasie burzy i wiatru mogą spaść konary i zniszczyć naszą kryjówkę. Trzeba unikać też dolin, bo szałas może zostać za-

---

* Discovery Channel – kanał telewizyjny; nadaje program Bear'a Grylls'a, podróżnika i byłego komandosa, który uczy, jak przetrwać w trudnych warunkach, np. w dżungli albo na pustyni.

lany. Najlepszym miejscem do budowy szałasu jest płaski teren. Należy zacząć prace, kiedy jest jeszcze widno, bo przecież nocą trudno wybrać odpowiedni budulec.

Szałas powstawał na środku łąki, a budulcem były gałęzie wierzb, które gęsto porastały brzeg rzeki.

– I tak trzeba by je wszystkie wycinać albo przynajmniej część – powiedział Kostek, kiedy martwiliśmy się, że niszczymy drzewa.

Na koniec powstały dwa szałasy. Jeden wybudował Tajny Klubu Superdziewczyn z pomocą Franka. Drugi należał do bliźniaków. Nie mogliśmy się porozumieć,

która konstrukcja jest lepsza. Tajny Klub wybrał tipi*, a bliźniaki szałas dwuspadowy.

Potem bawiliśmy się w Indian. Nasze szałasy zostały przemianowane na wigwamy indiańskich plemion. Na neutralnym terenie spotkały się dwa plemiona – Bliźniaków i Tajnego Klubu. Nie było to pokojowe spotkanie. Topór wojenny został wykopany! Nadal spieraliśmy się, które plemię ma lepszy szałas. Babcia

* Tipi – namiot indiański zbudowany z żerdzi pokrytych skórami bizonów lub płótnem.

próbowała nas pogodzić specjalnym indiańskim daniem, czyli kaszą z malinami.

Kiedy zapadł zmrok, musieliśmy opuścić szałasy, chociaż upieraliśmy się, że przetrwamy w nich noc. Ani babcia, ani pani Laura nie chciały o tym słyszeć i wróciliśmy do domu. Zasiedliśmy jeszcze na chwilę na werandzie, aby pożegnać się z bliźniakami.

Nadal patrzyłam na nich podejrzliwie, bo byłam pewna, że coś knują!

Wtedy nieoczekiwanie odwiedziła nas Hela. Nie przyniosła dobrych wieści.

– Z biblioteki zniknął biały kruk!

Wytrzeszczyliśmy oczy ze zdziwienia.

– To w bibliotece trzymasz ptaki? – zapytała Flora.

Kostek, pani Laura i babcia roześmiali się. Tylko Heli nie było do śmiechu.

– Biały kruk to coś bardzo rzadkiego. A mnie zginął tym razem przedwojenny elementarz. Otrzymałam go w prezencie od pewnej starszej pani, mieszkanki naszej wsi. Przeniosła się do córki na drugi koniec kraju i chciała zostawić tutaj coś po sobie.

Spojrzeliśmy na siebie. Tajny Klub Superdziewczyn nie ma już wiele czasu na rozwiązanie zagadki!

Wszyscy pocieszali Helę. Tylko bliźniaki siedziały milczące i niemrawe. A to nie uszło mojej uwagi.

WYCIECZKA DO PASIEKI I MÓL KSIĄŻKOWY

Nasz plan był bardzo prosty. Musieliśmy się dostać do biblioteki, aby rozejrzeć się w magazynku. Cały czas uważaliśmy, że to właśnie tam możemy znaleźć rozwiązanie zagadki.

Zastanawialiśmy się, jak wejść do biblioteki, aby nie wzbudzić niczyich podejrzeń.

– Mam pomysł! – obwieściła Flora.

– Taaak – mruknął Franek. – Pomysłów mamy dużo. Tylko nie każdy się sprawdzi.

– Ja mam tylko DOBRE pomysły! Albo mnie słuchacie, albo nie! – oburzona Flora odwróciła się do ściany i chwilę tak siedziała.

Jako szefowa Tajnego Klubu Musiałam się w to włączyć. W klubie powinna panować dobra atmosfera.

– W Tajnym Klubie trzymamy się razem! – przypomniałam.

Wszyscy uciszyli się i popatrzyli na mnie.

– Niech mówi każdy, kto ma pomysł. Po kolei – powiedziałam.

Nadąsana Flora oświadczyła:

– Mogłabym właściwie nic nie mówić, ale dla dobra sprawy zdradzę wam szczegóły mojego planu.

– Dobra – zgodzili się i Franek i Faustyna.

Flora zaczęła tajemniczo:

– Pamiętacie, jak Hela mówiła nam o pasiece?

– Nie – burknął Franek. – I co to ma wspólnego ze śledztwem? Tam nie ma ani biblioteki, ani magazynku.

– A ja pamiętam! – zapaliła się Faustyna. – Kiedy szliśmy pod lipami, a nad nami brzęczały pszczoły, Hela powiedziała, że w Żabim Rogu jest pasieka. I że może zorganizować wycieczkę.

– Ech – westchnęłam. – Taką wyprawę trzeba zaplanować z wyprzedzeniem. A my nie mamy wiele czasu.

– A ja mam jeszcze inny pomysł – dorzuciła Fau. – Nadal nie znamy legendy o Żabim Rogu! Na pewno w bibliotece coś na ten temat się znajdzie. Poprośmy Helę, aby pozwoliła nam przejrzeć książki z legendami.

Franek, nie namyślając się długo, wybiegł z naszego letniego domku, krzycząc jak opętany:

– Babciu! Babciu!

Po chwili wrócił do nas z babcią i panią Laurą.

– Opowiadajcie! – powiedziały obie równocześnie, kiedy byliśmy już wszyscy w pokoju.

– Hela obiecała, że zabierze nas do pasieki! – wypaliłam.

Babcia pokręciła głową.

– Hela jest dzisiaj w sąsiedniej wsi. Ma szkolenie biblioteczne.

– Do tego nie wiemy, czy ktoś z was nie jest uczulony na jad pszczół – dodała pani Laura.

Ale babcia zaraz wyjaśniła, że wizyta w pasiece jest bezpieczna a pszczoły zupełnie niegroźne. Pszczelarz okadza je specjalnym dymem, który powoduje, że owady się uspokajają. A do tego wszyscy zwiedzający mają kapelusze z siatką, które ochraniają głowę.

– Ale fajnie! Moglibyśmy pochodzić sobie w takich kapeluszach? – ucieszył się Franek.

– Prosimy, babciu! Spróbuj nam załatwić wycieczkę do pasieki! – męczyliśmy dalej.

Wtedy babcia wyciągnęła z kieszeni spodni telefon komórkowy.

– O! – zauważyła Flo. – Komórka! Babciu, mówiłaś, że nie znosisz komórek?

– To prawda. Korzystam z telefonu komórkowego tylko w ostateczności – przyznała babcia i wystukała numer na klawiaturze.

Po kilku nieudanych próbach babcia wreszcie dodzwoniła się do Heli. Okazało się, że szkolenie kończy się w południe. Być może później będziemy mogli wybrać się do pasieki!

– Jesteś MEGA, babciu! – zawołałam z uznaniem.

Mega! Spotkanie z Helą to była wielka szansa dla Tajnego Klubu. Musimy ją przekonać, aby pozwoliła nam obejrzeć magazynek w bibliotece.

Siedzieliśmy jak na szpilkach i czekaliśmy, kiedy nastanie południe. „Która jest godzina? ” – pytaliśmy na zmianę.

Wreszcie babcia zawołała nas na obiad.

– Wy wybieracie się do pasieki, a ja do ogrodu. Zjemy więc wcześniej.

Zjedliśmy zupę pomidorową z lanymi kluskami. Na danie główne dostaliśmy małe mięsne kulki, które nazywają się klopsiki, a do tego ziemniaki z koperkiem. Wyjątkowo zjadłam dwa, chociaż normalnie ich nie znoszę.

Po obiedzie, w towarzystwie Heli i pani Laury, wyruszyliśmy do pasieki.

– Szkoda, że nie mamy rowerów. Moglibyśmy zrobić wycieczkę po całej okolicy. Do pasieki też moglibyśmy dojechać – rozważała Faustyna.

– Nogi was bolą? – zdziwiła się pani Laura.

Maszerowaliśmy jednak wytrwale. Wprawdzie w kierunku przeciwnym niż biblioteka. Minęliśmy sklep, bank i wielkie podwórze, gdzie stały traktory i inne dziwne maszyny.

– Dlaczego tu jest tyle pojazdów? – zdziwił się Franek.

Hela wyjaśniła, że to wypożyczalnia maszyn rolniczych.

– Bardzo potrzebna na wsi, ponieważ mamy wiele różnych upraw. Rolnicy mogą wynająć traktor do pracy na polu. A kiedy zbliżają się żniwa, wtedy do dyspozycji mają kombajn.

Dotarliśmy wreszcie do pasieki.

Lipy pachniały jeszcze mocniej niż zwykle.

– Pszczoły uwielbiają lipę. Pamiętacie? Mogą spokojnie zbierać nektar i wytwarzać miód – przypomniała Hela.

Przy furtce otoczonej kwitnącymi malwami powitał nas pszczelarz. Wyglądał zupełnie zwyczajnie. Miał na sobie spodnie i koszulę.

– A gdzie ma pan kapelusz z siatką? – zapytał Franek.

– Zakładam go tylko do pracy przy ulach. Wyglądałbym dziwnie, gdybym paradował w nim po wsi – zaśmiał się. – Witam was serdecznie w pasiece Żabi Róg Pszczeli. Mamy tu osiemdziesiąt uli i wyrabiamy głównie miód lipowy, bez chemii – ciągnął. – Ja nazywam się Franciszek i jestem właścicielem pszczelego królestwa.

Przedstawiliśmy się kolejno.

– A! Czeka już na was dwoje urwisów.

Westchnęliśmy głęboko. Jasne, mogliśmy się tego spodziewać, ten duet podąża za nami wszędzie.

– Śledzą nas – mruknęła Flo.

Hela puściła do nas oko:

– Może po prostu bardzo was polubili.

Skrzywiliśmy się, bo przecież cały czas byli na liście podejrzanych!

Poszliśmy za panem Franciszkiem. Zatrzymaliśmy się na końcu ścieżki, która wiodła przez podwórze za dom. Rosło tam mnóstwo drzew. Pan Franciszek z dumą zaprezentował:

– To nasz sad. Mamy tu dorodne jabłonie, grusze, wiśnie i śliwy.

– A gdzie jest pasieka? – zapytałam.

– Pasieka znajduje się tuż za sadem. Zanim tam wejdziecie, musicie się przebrać, aby wycieczka przebiegała spokojnie – odpowiedział pszczelarz.

Na chwilę zniknął w małym niebieskim domku, który stał wśród drzew. Wrócił z kapeluszami i rękawicami.

– To dla bezpieczeństwa. Nie mam dziecięcych rozmiarów, ale wybrałem najmniejsze stroje – wyjaśnił i wręczył nam ubrania ochronne.

– Czy pszczoły na pewno nie zrobią dzieciom krzywdy? – upewniała się pani Laura, upinając na włosach kapelusz.

– Proszę się nie martwić – zapewniał pan Franciszek. – Jesteście w rękach doświadczonego pszczelarza.

– Ludzie i konie są tak samo wrażliwi na ukąszenia pszczół – wtrąciła Faustyna.

– Nie martwcie się. U nas będzie bezpiecznie – jeszcze raz zapewnił nas pszczelarz.

Uzbrojeni w rękawice i kapelusze z siatką wyruszyliśmy do pasieki. Kiedy zatrzasnęła się za nami furtka, znaleźliśmy się w pszczelim królestwie. Bliźniaki dopadły nas, wrzeszcząc wniebogłosy, że widziały trzmiele i trutnie.

– I uważacie, że Tajny Klub Superdziewczyn przestraszy się owadów? – zapytała Flora i dodała: – Mamy na was oko!

– W naszej pasiece stoi już osiemdziesiąt uli – przypomniał pan Franciszek, przeprowadzając nas przez osiedle pszczelich domków.

– Jakie piękne! – zawołała z zachwytem pani Laura.

Rzeczywiście! Było tu bajecznie kolorowo. Ule pomalowano w różnokolorowe pasy – część w niebiesko-biało-żółte, a inne w zielono-niebiesko-pomarańczowe. Niektóre ule przypominały małe domki. Przykrywały je spadziste dachy. Miały miniaturowe drzwi i okna, w których zamiast szyb umieszczono deseczki.

Rozglądaliśmy się z zachwytem, aż pszczelarz polecił nam założyć kapelusze z siatką i rękawice. Otworzył jeden z uli i wyjął z niego drewnianą ramkę oblepioną żółtą mazią, na której siedziało mnóstwo pszczół. Nie staliśmy wprawdzie blisko ula, ale i tak trochę się bałam. Bo co by było, gdyby pszczoła użądliła któreś z nas? Bo już przecież Kubuś Puchatek mówił, że z pszczołami nigdy nic nie wiadomo!

Dowiedzieliśmy się, że wewnątrz ula znajdują się takie właśnie ramki. W nie pszczoły wbudowują plastry, na których gromadzą miód i pyłek przynoszony do ula. A zbierają go do specjalnych „koszyczków” przy stopach. Pan Franciszek pokazał nam jeszcze królowe pszczół, które zostały wyhodowane w jego pasiece.

– Królowe lęgną się z takich samych jajeczek, jak robotnice. Ale pszczoły same decydują, które z nich będą inaczej karmione i pielęgnowane i zostaną matkami pszczelich rodzin – tłumaczył.

Opowiedział też wiele ciekawostek o życiu pszczół. Na przykład, że zmoczone pszczoły nie odlecą do ula, jeśli wszystkie nie wyschną – każda z nich.

– Ludzie mogą zazdrościć pszczołom – przekonywał pan Franciszek. – Ul jest świetnie zorganizowany i każda pszczoła pełni w nim ważną funkcję.

– Jestem pod wielkim wrażeniem pana pracy – oświadczyła pani Laura, kiedy opuściliśmy pasiekę.

– Proszę spróbować jeszcze moich wiśni – zaproponował pszczelarz i pozwolił nam zerwać owoce prosto z drzewa.

– Wyborne! – oceniała pani Laura. – Zawodowy pszczelarz i wybitny sadownik!

Pan Franciszek ukłonił się nisko.

Kiedy opuszczaliśmy pasiekę, dźwigaliśmy wiaderka z wiśniami i wczesnymi śliwkami. Dostaliśmy też kilka słoików miodu.

– Zostaliście hojnie obdarowani – zauważyła Hela. – Ja rzadko dostaję tutaj takie rarytasy.

Nie było mowy o wizycie w bibliotece. Ubłagaliśmy jednak Helę, aby zgodziła się na wieczorny spacer, połączony z czytaniem *Ani z Zielonego Wzgórza*. Franek, któremu nie w smak było czytanie książek dla dziewczyn, nie pisnął nawet słowa. Wszystko dla dobra śledztwa!

Wieczorem po kolacji pani Laura odprowadziła nas do biblioteki. My, członkinie Tajnego Klubu, i Franek, wyruszyliśmy dobrze przygotowani do akcji. Mieliśmy latarki, Tajne Dzienniki i spis zaginionych książek. Hela już na nas czekała w bibliotece. Oczywiście nie sama, towarzyszyły jej bliźniaki.

– Dzień dobry, Kajetanie! – wrzasnęły na powitanie i od razu przykleiły się do Franka.

Franek łypnął na nich groźnie.

– Mamy na was oko!

– Jak na to wpadłeś, Kajetanie? – odpowiedzieli chórem.

Trudno było zbić z tropu Jasia i Małgosię.

W bibliotece pięknie pachniało miętą i drożdżowymi bułeczkami.

– Świeży wypiek. – Hela pokazała nam tacę pełną smakołyków.

Spojrzeliśmy pytająco na panią Laurę, bo nie wolno nam było objadać się na noc.

Chrząknęła i znacząco spojrzała na Helę.

– Wyjątkowo możecie zjeść po jednej bułeczce. A może dostaniecie kilka na wynos?

Hela wręczyła pani Laurze paczuszkę z bułkami, a my rozsiedliśmy się wygodnie w sali dla dzieci.

– Teraz to już sala Tajnego Klubu Superdziewczyn – zaznaczyła Flora.

Zaczęło się czytanie. O Ani i jej nowym domu u Mateusza i Maryli w Avonlea. Franek wiercił się cały czas, aż wreszcie zapytał, czy może jednak pójść po książki o kosmosie, bo Ania go nie interesuje. Zrobiło mi się trochę przykro, bo polubiłam Anię. Ale taki był plan naszego dochodzenia. Franek wyszedł, a my czytaliśmy dalej. Franek długo nie wracał, więc Flora wyruszyła na poszukiwanie. Ale i ona przepadła. Zdziwiona Hela, nie przerywając lektury, wysłała mnie po nich. Wiedziałam już, co się święci; Franek musiał wpaść na trop. Od razu zaproponowałam, aby Faustyna udała się ze mną. W korytarzu z miejsca obrałyśmy kurs na magazynek. Wewnątrz było ciemno, ale usłyszałyśmy syczenie i błysk latarki. Franek i Flora siedzieli w kącie i dawali nam znaki. Dołączyłyśmy do nich.

– Znaleźliście coś? – zagadnęła Faustyna. – Nie mamy wiele czasu.

– Chyba tak – oznajmiła Flora i przyciągnęła stare pudło związane sznurkiem.

– To jakieś śmieci – oceniłam.

– Niekoniecznie – orzekł Franek i sięgnął do pudła. Jednak sznurek skutecznie blokował dostęp do jego wnętrza. Nie mieliśmy nożyczek ani noża. Wtedy Flora wpadła na pomysł, abyśmy przegryźli sznurek. Szybko jednak porzuciła tę myśl, gdy usłyszała, że po kartonie mogły biegać myszy. W końcu wspólnymi siłami rozsupłaliśmy węzeł. Skierowaliśmy światło latarek do wnętrza pudła.

– Oo! – wydaliśmy okrzyk zachwytu.

Na samym wierzchu leżała zaginiona książka *Tajemnica Szyfru Marabuta.*

Franek wyciągnął z kieszeni kartkę i głośno czytał tytuły książek, a my sprawdzałyśmy zawartość kartonu. Zgadzało się wszystko, z wyjątkiem jednego. Nie było białego kruka, czyli starego elementarza.

Po krótkiej naradzie postanowiliśmy wtajemniczyć w sprawę Helę.

Władowaliśmy książki z powrotem do pudła i zataszczyliśmy je do sali, gdzie, jak sądziliśmy, nadal siedziała z bliźniakami.

Ku naszemu zaskoczeniu w sali było pusto.

– Co teraz? – zastanawialiśmy się gorączkowo.

– Chyba nie zostawiła nas tutaj na noc? – zapytała z obawą Flora.

– Noc w starej bibliotece? – zastanawiał się głośno Franek. – To byłoby całkiem interesujące.

– Mega! – potwierdziłam.

– Jestem tutaj! – Hela wpadła do sali jak burza. – Jaś i Małgosia szukają was jeszcze na górze. Byliśmy przekonani, że skusił was dział książek dla młodzieży. Historie o wampirach i przygody korsarzy.

Bez słowa wskazaliśmy jej na zniszczone pudło, które postawiliśmy na środku sali. Hela zmarszczyła czoło i zaczęła przeglądać jego zawartość. Raz po raz na jej twarzy pojawiał się uśmiech.

– Skąd to macie? – zapytała wreszcie.

– Tajny Klub Superdziewczyn melduje, że to znalezisko z magazynku – oznajmiłam.

– Mieliśmy rację, że to właśnie tam kryje się rozwiązanie zagadki znikających książek – dodał Franek.

– Ależ tutaj są też inne zguby. Te, o których słuch zaginął w zeszłym roku – zauważyła Hela.

Franek podsunął jej listę zagubionych książek, którą sporządziliśmy na podstawie dokumentów bibliotecznych.

– To wszystko książki, które zaginęły Małgosi? – zapytała z niedowierzaniem.

W tym momencie do sali wpadły bliźniaki, krzycząc na cały głos:

– Zniknęli!

Na widok pudła i sterty książek, Małgosia pobladła. Hela patrzyła na nią wyczekująco.

Pierwszy odezwał się Jaś:

– To moja wina. Wiedziałem o wszystkim.

– Nie, właśnie, że moja! – przekornie powiedziała Małgosia. – Nie chciałam się przyznać, że giną mi ciągle książki. Czytałam je, a potem nie wiedziałam, gdzie odłożyłam. Znajdowałam je po kilku dniach albo tygodniach. Wreszcie uzbierało się ich tyle, że było mi wstyd. Upchnęliśmy je więc do tego pudła, które znaleźliśmy w magazynku. Mieliśmy nadzieję, że kiedyś podczas porządków je znajdziesz.

– Ale przecież książki ginęły też w czasie wakacji – przytomnie odezwała się Fau.

Jaś zrezygnowany wyjaśnił:

– Małgosia miała tyle zgub na koncie, że nie chciała już wypożyczać książek. Przekonałem ją, abyśmy zakradali się wieczorami do biblioteki przez uchylone okno w magazynku. Mieliśmy pożyczać książki i zaraz je oddawać. Ale Hela zorientowała się, że książki nadal znikają.

– Ha! To dlatego ciągle miałam wrażenie, że ta okiennica jest uchylona – przypomniała sobie Hela.

Jaś zwiesił głowę.

Śledztwo nie było jeszcze zakończone.

– Jeszcze nie wyjaśniliśmy sobie wszystkiego – zwróciłam uwagę. – Nadal nie wiemy, gdzie jest biały kruk!

– Elementarz mamy w domu – przyznały skruszone bliźniaki.

– Jesteś prawdziwym molem książkowym – Hela zwróciła się do Małgosi.

Małgosia spojrzała na nią z obawą.

– Będę miała karę? – zapytała.

– Mole książkowe są cennymi okazami – odpowiedziała bibliotekarka. – Ale o przypadku z książkami zapomnieć nie mogę.

– Może pani jej zakazać wstępu do biblioteki – oświadczył Jaś.

– To byłoby zbyt okrutne – oceniła Hela. – Życie bez książek to wielka kara. Potrzebuję kogoś do pomocy w bibliotece. Mam mnóstwo pracy.

– Ja też chcę pomagać w bibliotece! – zapaliła się Flora.

– Przecież to ja mam mieć karę! – zaperzyła się Małgosia. – Ja chcę być pani pomocnikiem.

– Pracy wystarczy dla każdego – uspokajała Hela. – Trzeba odkurzyć książki. Ustawić je zgodnie z sygnaturą. Sprawdzić karty. A Flora niedługo wyjedzie...

Obie dziewczynki, Małgosia Flora, nadal siedziały nadąsane.

Wtedy Hela pogodziła je, a wszystkich zaangażowała do pracy.

– Jeśli tak bardzo chcecie pomagać w bibliotece, to ścierki w dłoń. Magazynek jest bardzo zakurzony, a do tego zagracony. Małgosia będzie mi pomagała, kiedy już wyjedziecie. Teraz liczę na was wszystkich.

Uzbrojeni w ścierki pracowaliśmy w pocie czoła. Po kilku kwadransach pokój wyglądał już znacznie lepiej. Książki nie piętrzyły się pod ścianami, tylko leżały równo poukładane na stole. Pajęczyny zniknęły, a pomieszczenie zostało przewietrzone. Nie była to może tak przytulna sala jak pozostałe, ale dało się wytrzymać.

– Mam pomysł. Magazynek może stać się nową czytelnią – oświadczyła Hela. – Dzieci i dorośli będą mogli spędzać tu czas jesienią i zimą, kiedy nie można jeszcze korzystać z czytelni na świeżym powietrzu.

– Może nazwiemy ją „Czytelnią Jasia i Małgosi"? – zaproponował Jaś.

– Historia Jasia i Małgosi jest jedną z najbardziej znanych baśni. Niech tak będzie. „Czytelnia Jasia i Małgosi"– zgodziła się Hela. I zaraz dodała: – Ale będą też obowiązki. Waszym zadaniem będzie utrzymywanie tutaj absolutnej czystości.

Flora zmarszczyła brwi. Przypuszczam, że rozumiałam, o co jej chodzi. W końcu, my dziewczyny z Tajnego Klubu Superdziewczyn, rozumiemy się bez słów!

– A którą salę nazwiemy na cześć naszego klubu? – zapytała. – W końcu to my wyjaśniłyśmy zagadkę.

Franek mruknął od niechcenia:

– Chyba wyjaśniliśmy.

Hela spojrzała na nas porozumiewawczo.

– Myślę, że dotychczasowa sala dla dzieci zostanie przemianowana na salę „Tajnego Klubu Superdziewczyn i Superchłopaka".

– Mega! – zawołałam. – Czy będzie nowa tabliczka?

– Racja! Nie pomyślałam o tym – odpowiedziała bibliotekarka. – Skoro zmieniają się nazwy sal, powinniśmy to uwiecznić. Mam nadzieję, że Kostek znajdzie czas na zrobienie nowych tabliczek.

Kiedy wróciliśmy do babci, czekały na nas nowe wiadomości.

– Dzwonił tata Emi. Jutro przyjeżdża do nas z mamą Emi, z waszą koleżanką Anielą i z Czekoladą.

– Meeegggaaa! – wrzasnęliśmy ze wszystkich sił.

– Tajny Klub w komplecie – ocenił Franek. – Tyle, że zagadka już rozwiązana.

JUBILEUSZOWY BIEG W ŻABIM ROGU. FRANEK W TAJNYM KLUBIE!

W sobotę obudziliśmy się dość wcześnie, bo ptaki już od świtu bardzo głośno śpiewały.

– Ile one mogą tak nadawać? – zaspanym głosem zapytała Flo.

– Kto one? – zdziwiłam się.

– Ptaszyska – mruknęła Flora i zakopała się w kołdrę.

– Mam nadzieję, że to nie są zięby. Zięby mogą śpiewać dwa tysiące razy bez przerwy – oświadczyła Faustyna.

Flora jak na sygnał wyskoczyła z pościeli.

– Dwa tysiące razy? – powtórzyła. – Niemożliwe. A tak w ogóle, dlaczego miałybyśmy ci uwierzyć?

Fau sięgnęła pod poduszkę i wyjęła stamtąd książkę. Podała ją Flo.

– *Dziennik młodego przyrodnika. Ciekawostki ze świata przyrody* – przeczytała Flora.

Spojrzałam na nią zdziwiona:

– Ukrywałaś przed nami książkę?

– Hela mi wypożyczyła – wyjaśniła. – Nie mówiłam wam, bo przecież Flo uważa, że czytanie w czasie wakacji to zły pomysł.

– Tak właśnie uważam! – przyznała Flora.

Faustyna wzruszyła ramionami:

– A ja lubię przyrodę. I chcę o niej czytać, nawet w czasie wakacji.

Wtedy pomyślałam, że podobne spory nie są zgodne z zasadami Tajnego Klubu Superdziewczyn. Nie zdążyłam jednak o tym powiedzieć, bo rozległo się walenie do drzwi.

– Ej! Tajny Klubie! Czy wiecie, że mamy dzisiaj coś do uczczenia? – wrzasnął Franek i bez zaproszenia wpakował się do naszego pokoju.

– Będziemy świętować kolejny dzień bez twojego udziału w klubie – oświadczyła Flora i znowu dała nura pod kołdrę.

Franek, niezrażony tym zupełnie, oznajmił uroczyście:

– Właśnie minął tydzień, odkąd przyjechaliśmy do Żabiego Rogu.

– Oooo! – powiedziałyśmy chórem.

Flora zaproponowała:

– Możemy to uczcić wyścigami nad rzeką. Zwycięzca zajmie honorowe miejsce przy śniadaniu.

Błyskawicznie wskoczyliśmy w ubrania, bo przecież nie mogliśmy biegać w piżamach. Zaraz potem puściliśmy się pędem nad rzekę. Bieg wygrała Faustyna, a Flo była niepocieszona.

– Nie mogę uwierzyć, że to nie ja wygrałam. Przecież to był mój pomysł.

Wracaliśmy znad rzeki ze specjalnym baldachimem z gałęzi lipy, pod którym dumnie kroczyła Faustyna.

Kiedy weszliśmy na werandę, Franek ogłosił:

– Uroczyście oświadczam, że Pierwszy Jubileuszowy Bieg w Żabim Rogu wygrała Faustyna!

Fau usadowiła się na honorowym miejscu, czyli na krześle z oparciem ustawionym najbliżej okna. Było to miejsce naprawdę strategiczne. Idealnie udawało się z niego obserwować całe podwórze, ogród i kuchnię. Osoba, która tam siedziała, wiedziała wszystko i widziała wszystkich.

Na śniadanie babcia zrobiła nam górę placków z jagodami. Pani Laura przygotowała jeszcze koktajl ze świeżych truskawek prosto z ogrodu. Było pysznie!

– Macie wspaniałe jubileuszowe śniadanie, do którego sami się przyłożyliście. Jagody pochodzą z naszej wyprawy do lasu – przypomniała pani Laura.

– Takie placuszki to babcia jadła, kiedy była taka jak my! – pochwaliłam się swoją wiedzą.

Babcia potwierdziła:

– To był mój przysmak. A teraz pijcie koktajl, bo truskawek jest już coraz mniej na grządkach.

– Eee. Szkoda. Myślałam, że truskawki rosną przez całe lato – zmartwiłam się.

– Rosną długo, ale owocują od czerwca do lipca. Później już nie wydają owoców. Przynajmniej tak jest w moim ogrodzie – stwierdziła babcia.

Kiedy kończyliśmy śniadanie, na podwórzu zapanował harmider nie do opisania. Klaksony ryczały,

a psy u Kostka za płotem ujadały zaciekle. Wybiegliśmy na zewnątrz. Ależ tak! To byli moi rodzice i Aniela! Wreszcie przyjechali.

Wyściskałyśmy Anielę, tak jakby nie widziała nas cały rok. Flora, Faustyna i Franek porwali ją od razu do letniego domku. Czekolada też w końcu doczekała się swoich wakacji. Teraz skakała przy ogrodzeniu

i obszczekiwała Borutę. Wystraszony Beksa stał w bezpiecznej odległości i od czasu do czasu wydawał z siebie dziwny skowyt. W końcu nie bez powodu otrzymał takie imię!

Przywołałam Czekoladę i wydawało mi się, że ją uciszyłam. Pognała w stronę łąki, by wrócić po chwili kompletnie mokra, szczekając jeszcze głośniej.

– Co się z dzieje z tym psem? – zdziwiła się mama.

– E, nic – uspokoiłam ją. – Po prostu wykąpała się w rzece. Przecież mamy upał.

Potem rozsiedliśmy się wszyscy wygodnie w ogrodzie, popijając lemoniadę, którą specjalnie na przyjazd gości przygotowała pani Laura.

– Lauro! Nabyłaś w Żabim Rogu nowych umiejętności – pochwalił tata, wypijając łyk zimnego napoju.

Pani Zwiędły zaczęła opowiadać o naszych wycieczkach do stajni, o Maladze i kucach, i oczywiście o wyprawie na jagody. Przyniosła też słoik miodu z pasieki pana Franciszka.

– Doskonały sadownik i jeszcze lepszy pszczelarz! – zachwalała. – Powinniśmy promować go w mieście. Zresztą obiecałam mu, że wpadniemy po śliwki. Może są już pierwsze jabłka?

Mama spojrzała na nią podejrzliwie.

– Lauro, przecież ty nigdy nie kupiłaś owoców ani warzyw na straganie albo od rolnika!

– Żabi Róg jest specjalnym miejscem. Zmienia ludzi – przyznała pani Zwiędły.

Razem z babcią przysłuchiwałyśmy się tej dyskusji.

– Serwujemy dziś z Laurą zupę z kurek – oświadczyła babcia.

– Z pieprzników! – wrzasnął na cały głos Franek, biegnąc za Florą, Faustyną i Anielą. Chwycił mnie za rękę:

– Emi, lecisz z nami.

I poleciałam. Zatrzymaliśmy się przy szałasach.

– Szkoła przetrwania – rzeczowo wyjaśniła Anieli Flo. – Pamiętaj, żeby nie budować szałasu pod drzewami ani zbyt nisko.

Aniela w ogóle nie wiedziała, o czym mówimy.

– Nie rozumiem.

Flora z zapałem tłumaczyła.

– Z drzewa w czasie burzy spadną konary. I już po szałasie. W zagłębieniu terenu nagromadzi się woda i porwie szałas, twój dobytek i ciebie.

Aniela pokiwała głową na znak, że pojęła. Ale ja widziałam, że jest oszołomiona.

– Widzę, że sporo mnie ominęło – zmartwiła się.

– Nie przejmuj się – poklepałam ją po ramieniu. – To nic wielkiego. Podobne rzeczy robiłyśmy na zielonej zerówce, pamiętasz?

Wtedy Franek wypalił:

– I przegapiłaś dochodzenie Tajnego Klubu Superdziewczyn!

Aniela spojrzała na mnie z wyrzutem. Już miała coś powiedzieć, ale wtedy na łące pojawiło się towarzystwo.

– Bliźniacy – westchnęła Flora. – Jaś i Małgosia, zupełnie jak z tej bajki. Chodzą za nami jak dwa cienie.

Rodzeństwo dopadło Anielę. Zarzucili ją mnóstwem pytań.

– Ty też jesteś z Tajnego Klubu? – wyłowiłam jedno z nich.

Aniela twierdząco kiwnęła głową, a bliźniaki z wrzaskiem wpakowały się do swojego szałasu.

– Szałas mają słaby. Wiadomo. Tipi jest bezkonkurencyjne – ze znawstwem stwierdził Franek.

„Biedna Aniela – pomyślałam. Jest całkiem zagubiona".

Bliźniaki właśnie wyszły ze swojej kryjówki. Niosły przed sobą pióropusz, który założyły Anieli na głowę.

– Zapraszamy, dołącz do plemienia Bliźniaków – wyrecytowali chórem.

Aniela bez mrugnięcia okiem udała się za nimi i zniknęła w szałasie.

Flora zmarszczyła brwi:

– To zdrada!

Nie wiedziałam, co robić. Z jednej strony wolałabym, aby Aniela spędzała czas w naszym tipi. Z drugiej strony, żelazną zasadą Klubu jest przyjaźń i zaufanie.

Powstrzymałam więc Florę.

– Poczekajmy. Aniela na pewno do nas wróci.

Faustyna i Franek mnie poparli. Siedzieliśmy sobie w naszym tipi, gawędząc wesoło. Trochę jednak było nam smutno, już niedługo wyjedziemy z Żabiego Rogu.

– A nadal nie znamy legendy – przypomniała Faustyna.

Nie minął kwadrans, kiedy Aniela wygrzebała się z szałasu bliźniaków i przyszła do nas.

– Nie mogłam im odmówić, skoro otrzymałam zaproszenie – usprawiedliwiała się i poprosiła: – Opowiedzcie, jak rozwiązaliście zagadkę?

Zaczęliśmy opowiadać o Heli i bibliotece oraz o sprawie zaginionych książek.

– Nie dość, że w ciągu roku szkolnego przepadło wiele książek, to teraz w czasie wakacji, rozpływały się jak we mgle! – wtajemniczałam Anielę w sprawę.

– Były też cenne egzemplarze. Po prostu białe kruki – dodała Flora.

A Faustyna wtrąciła:

– Wyobraź sobie, że Hela miała stary elementarz, który ma już prawie sto lat. I on też zaginął.

– Ale spokojnie. Trzymaliśmy rękę na pulsie – podsumował Franek. – Mieliśmy w planach nocną wyprawę do biblioteki. Wiesz, z latarkami i całym sprzętem. W końcu się udało.

Jako szefowa Tajnego Klubu Superdziewczyn potwierdziłam jego słowa.

– Rozwiązaliśmy kolejną zagadkę! I pomogliśmy Heli.

Wtedy Aniela zwróciła się do Franka:

– Godnie mnie zastąpiłeś. Dziękuję!

Franek spojrzał na nas i oświadczył:

– Na poważnie, to uważam, że powinnyście zmienić nazwę na Tajny Klub Superdziewczyn i Superchłopaka.

– To się jeszcze zobaczy – odparła szybko Flora.

Wtedy do namiotu zajrzał Kostek.

– Widzę, że wasze tipi całkiem nieźle się trzyma – pochwalił nasz szałas.

Przedstawiliśmy Anielę i pognaliśmy na podwórze. Za nami oczywiście pobiegły bliźniaki. Kostek też pomaszerował. Potem przyszła Hela. Wszyscy siedzieli już na werandzie, a pani Laura serwowała zupę z kurek.

– Ale tu ścisk! – oceniła Flora. – Tajny Klub Superdziewczyn przenosi się do ogrodu.

– Jeśli mowa o Tajnym Klubie, to mam coś do powiedzenia – oznajmiła Hela. – Dzięki wam moje problemy zniknęły, do biblioteki wrócił biały kruk i wiele innych książek. A ja zyskałam pomocników i przyjaciół. Upiekłam ciasto wiśniowe z kruszonką, aby uczcić tę niezwykłą okazję.

Aż nam ślinka pociekła na widok takich pyszności.

– Ale sala w bibliotece nadal będzie nosiła imię Tajnego Klubu Superdziewczyn? – upewniała się Flora.

Hela potwierdziła, a potem wyjaśniała rodzicom zagadkę biblioteki i nasz udział w jej rozwiązaniu. Mega!

Spokojnie zjadałyśmy zupę w ogrodzie. No właśnie, zjadałyśmy! Nie było z nami Franka.

– Gdzie on może być? – głowiła się Flora.

– A ja myślę, że ma już dosyć. Odegrał ważną rolę w śledztwie, a nadal jest poza Klubem – mruknęła Faustyna.

– Przecież nie przyjmujemy chłopaków do Klubu! – zauważyła Flora.

To była prawda. Jako szefowa Klubu zabrałam głos:

– I Fau, i Flora mają rację. Musimy znaleźć sposób, jak docenić Franka.

– Może jednak pasujemy go na członka Tajnego Klubu? Powinnyśmy się rozwijać – oświadczyła Aniela.

– Dzisiaj wieczorem urządzamy ognisko dla gości – przypomniałam sobie. – To dobra okazja!

Po obiedzie i po deserze, na który dostaliśmy po wielkim kawałku ciasta z wiśniami, rozpoczęliśmy przygotowania do ogniska.

Franek zaproponował dzisiaj inną konstrukcję, ale zostawiłyśmy go z tym. Może Kostek mu pomoże? Obaj uwielbiają tę szkołę przetrwania. Miałyśmy ważniejsze zadanie – organizowałyśmy chrzest nowego członka Tajnego Klubu. I nikt nie mógł nic o tym wiedzieć.

Kiedy nadeszła pora ogniska, zgromadziliśmy się wszyscy przy kamiennym kręgu. Szkielet ogniska był wyjątkowy.

– To dzięki talentowi architektonicznemu taty Emi – wyjaśnił Kostek.

Ucieszyłam się, że tata też lubi szkołę przetrwania.

– O tak, Emi. Mam ją na co dzień – przyznał.

Ognisko wkrótce zapłonęło, a Franek stale donosił chrust, żeby nie zagasło. Potem piekliśmy kiełbaski i zajadaliśmy ogórki.

Wreszcie dałam znak do rozpoczęcia uroczystości. Nie zwracając na siebie uwagi, zniknęłyśmy na chwilę w naszym tipi. Wyszłyśmy z szałasu, niosąc nad głowami wielki transparent z hasłem:

WITAJ W KLUBIE, FRANKU!

Obok napisu widniała wielka odznaka Tajnego Klubu Superdziewczyn.

Wesoły gwar przy ognisku ucichł i wszyscy patrzyli w napięciu, co stanie się dalej.

Ogłosiłam uroczyście:

– Niech wystąpi ten, kto uwielbia doświadczenia, zna się na szkole przetrwania i umie zbudować ognisko.

Do przodu wyrwał się Jaś.

– Nie ty… – syknęła Flora.

Franek rozejrzał się dookoła i wyszeptał z niedowierzaniem:

– JA?

Kiwnęłam głową. Franek zrobił krok do przodu, a Flora wręczyła mu pamiątkowy dyplom Superchłopaka, honorowego członka Tajnego Klubu.

Dorośli przyjęli to z aplauzem, chociaż pasowanie jeszcze się nie zakończyło.

– Ogłaszam, że pierwszym chłopakiem, który został przyjęty do Tajnego Klubu Superdziewczyn jest Franek – zakomunikowałam.

Rozległy się brawa i okrzyki.

Wtedy Franek poprosił o ciszę i powiedział:

– Jestem zaszczycony, że przyjęłyście mnie do Tajnego Klubu Superdziewczyn i Superchłopaka.

Flora zaprotestowała.

– O zmianie nazwy nie ma mowy!

Bliźniaki doskoczyły do nas, wrzeszcząc.

– My też chcemy do klubu! My też!

WITAJ W KLUBIE,
FRANKU!

– Trzeba się naprawdę zasłużyć. I rozwiązać jakąś zagadkę albo pomagać innym – tłumaczyłam, bo wcale nie miałyśmy w planach przyjęcia do klubu Jasia i Małgosi.

– Przecież będę pomagać w bibliotece! – przypomniała Małgosia.

Podrapałam się w głowę.

– Już wiem! Jeśli Hela będzie zadowolona z waszej pomocy, możecie tutaj w Żabim Rogu założyć filię Tajnego Klubu Superdziewczyn.

Dzień był pełen wrażeń! Okazało się jeszcze, że rodzice i pani Laura mają dla nas prawdziwą niespodziankę.

– Jak wam się podoba tutaj w Żabim Rogu? – zapytał tata.

– Mega! – odpowiedzieliśmy chórem.

– Babcia zgodziła się was gościć jeszcze tydzień – powiedział tata.

Pani Laura i pan profesor przyjęli tę wiadomość z radością.

– Żabi Róg jest wyjątkowy! – zawołała z entuzjazmem pani Laura.

Byliśmy wniebowzięci i wrzasnęliśmy z całej siły:

– Hurraaaa!

Zapadała noc, a my nadal siedzieliśmy wpatrzeni w blask ogniska. Wtedy odezwała się Hela.

– Jeśli dobrze pamiętam, chcieliście poznać legendę Żabiego Rogu. Oto ona: dawno temu, chociaż dokładnie nie wiadomo kiedy, w miejscu dzisiejszej wsi stała mała rybacka osada. Była naprawdę malutka. Nazywała się Róg. Nad brzegiem rzeki zbudowano dosłownie kilka ubogich chałup. Rzeka była dość płytka i mieszkało w niej więcej żab niż ryb, więc rybacy musieli się sporo natrudzić, aby połów był udany. Złowione ryby sprzedawali następnie na targu w pobliskim grodzie. Ale wiodło im się coraz gorzej, a głód coraz częściej zaglądał im w oczy. Wieczorami, przy wtórze kumkających żab, kobiety ze wsi żaliły się na swój los. Pewnego dnia jednej z nich ukazał się żabi król. Przemówił do kobiety ludzkim głosem. Wyjaśnił, że jeśli tylko rybacy zaczną łowić na sąsiednim jeziorze, odmienią swój los. Tak się stało. Rybacy porozumieli się z okolicznymi osadnikami i wspólnie łowili na jeziorze, które wskazał im żabi król. Odtąd w Rogu żyło się dostatnio i szczęśliwie. Na pamiątkę tego zdarzenia i w podzięce żabiemu królowi mieszkańcy nazwali swoją osadę Żabim Rogiem.*

– I ja tam byłem, miód i wino piłem. A co widziałem, wam opowiedziałem – zakończył Kostek.

Rozeszliśmy się do łóżek. Zmęczeni, ale z nadzieję na nowe przygody w Żabim Rogu.

---

* Legenda o Żabim Rogu – w każdej legendzie jest zawsze trochę prawdy. Miejscowość o takiej nazwie leży w województwie warmińsko-mazurskim (wspomina o niej nawet w jednej z książek o Panu Samochodziku Zbigniew Nienacki), jednak nasz Żabi Róg, mimo że historię ma zbliżoną, leży w zupełnie innym miejscu.

SPIS TREŚCI

Tekst i ilustracje © Agnieszka Mielech
Edycja © Grupa Wydawnicza Foksal

Projekt okładki, stron tytułowych oraz ilustracje: Magdalena Babińska

Redaktor inicjujący: Marta Lenartowicz
Redaktor prowadzący: Joanna Liszewska

Skład: www.pagegraph.pl
Druk i oprawa: Interdruk, Warszawa
Książkę wydrukowano na papierze Ecco Book dostarczonym
przez Antalis Poland Sp. z o.o.

Grupa Wydawnicza Foksal sp. z o.o.
ul. Domaniewska 48, 02-672 Warszawa
tel. 22 826 08 82, 22 828 98 08
e-mail: biuro@gwfoksal.pl
www.gwfoksal.pl

ISBN: 978-83-280-1314-8

Wszelkie prawa zastrzeżone
All rights reserved

Wszystkie postaci, zdarzenia, miejsca i produkty, które występują
w tej serii, są wymyślone, a jeśli są rzeczywiste,
to zostały wykorzystane wyłącznie w celach fikcyjnych.